CB074699

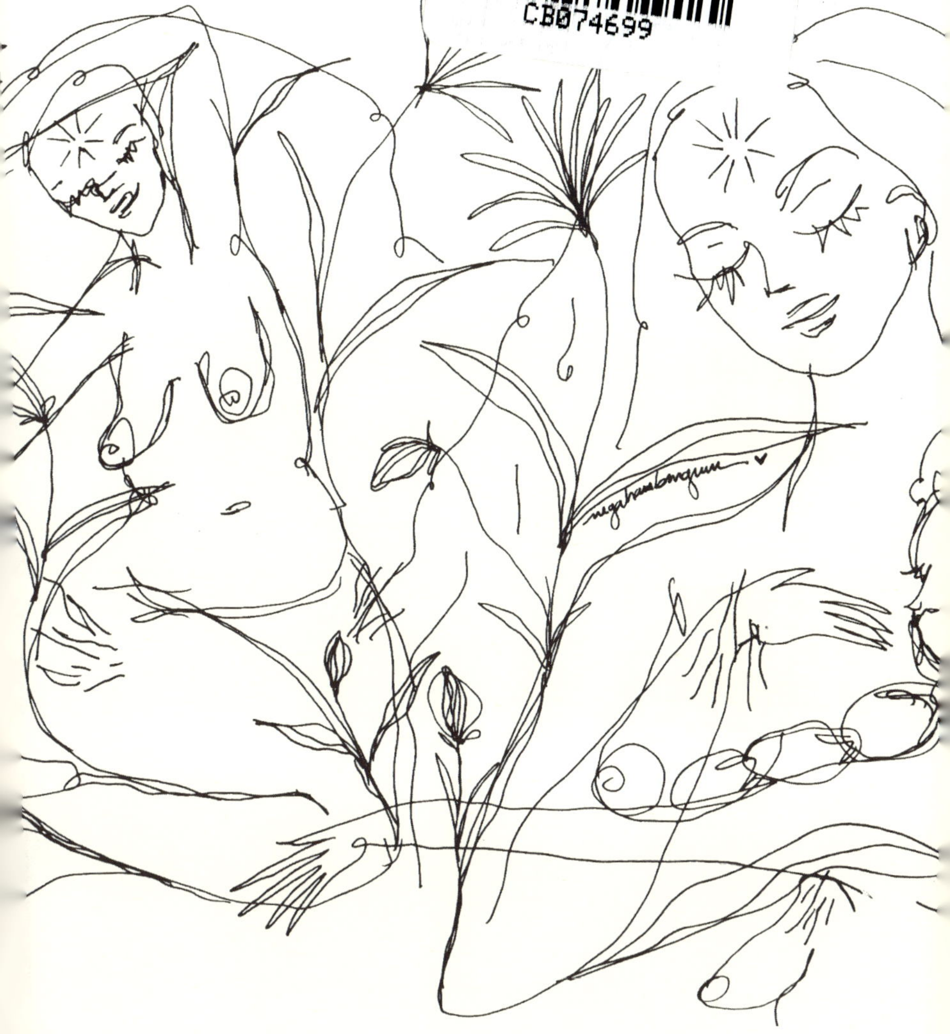

Leia MULHERES

CONTOS
— VOLUME 1 —

SÃO PAULO
2019

≡ SWEEK

Pólen

COPYRIGHT © 2019 LEIA MULHERES
COPYRIGHT © 2019 PÓLEN LIVROS

Todos os direitos reservados e protegidos pela Lei 9.610, de 19.2.1998.
É proibida a reprodução total ou parcial sem a expressa anuência da editora.

Este livro foi revisado segundo o Novo Acordo Ortográfico da Língua Portuguesa.

EDITORA
Lizandra Magon de Almeida

COORDENADORA EDITORIAL
Luana Balthazar

REVISÃO
Luana Balthazar
Michelle Henriques

ILUSTRAÇÃO
Negahamburguer

CAPA, PROJETO GRÁFICO E DIAGRAMAÇÃO
Thalita Bottari

Dados Internacionais de Catalogação na Publicação (CIP)
Angélica Ilacqua CRB-8/7057

Leia mulheres : contos / organizado por Michelle Henriques, Juliana Gomes, Juliana Leuenroth. -- São Paulo : Sweek ; Pólen, 2019.
168 p.
ISBN: 978-85-98349-71-8
1. Contos brasileiros I. Henriques, Michelle II. Gomes, Juliana III. Leuenroth, Juliana

19-0311   CDD B869.3

Índices para catálogo sistemático:
1. Contos brasileiros

www.polenlivros.com.br
www.facebook.com/polenlivros
@polenlivros
(11) 3675-6077

A todas as pessoas que colaboram e espalham a proposta do Leia Mulheres e a todas as escritoras que nos inspiram diariamente a ler e escrever cada vez mais.

Equipe Leia Mulheres

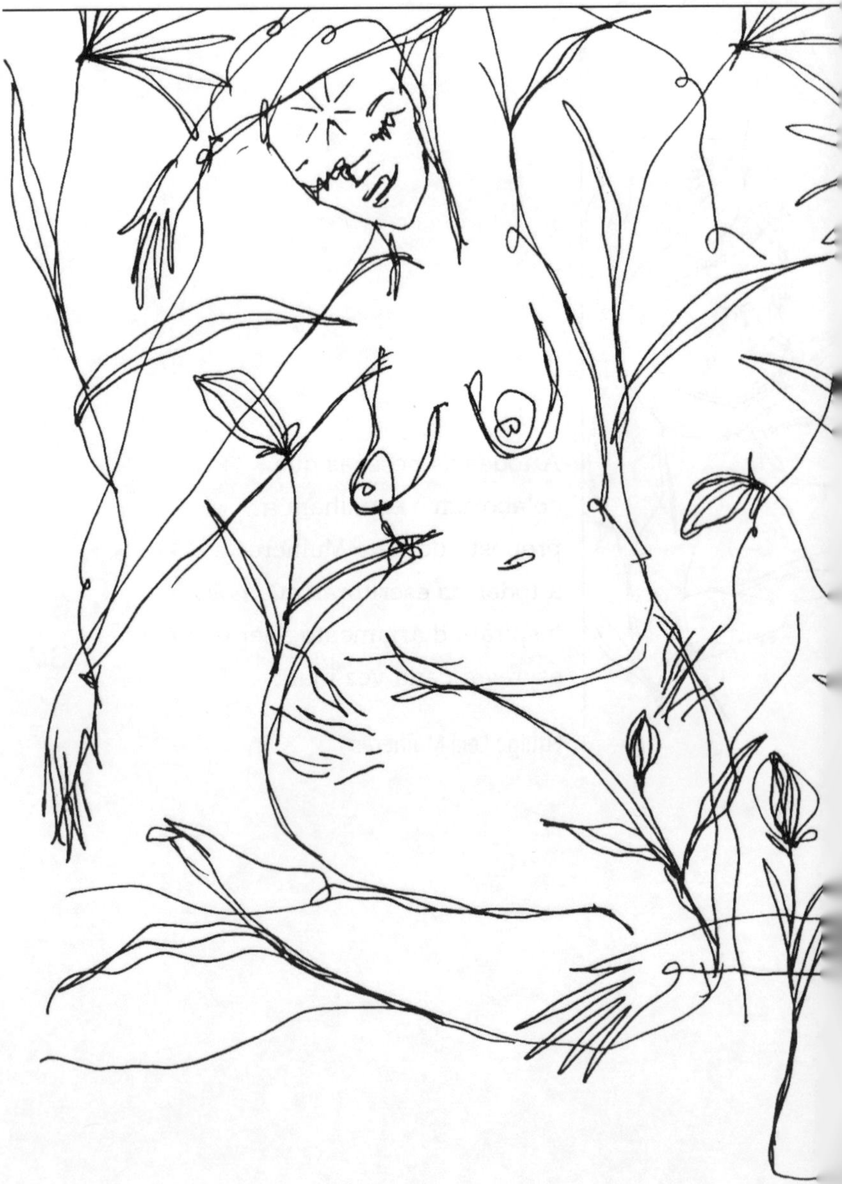

SUMÁRIO

Uma promessa | Aline Aimée	10
Irmã e irmão | Gabriela Domiciano	18
Bigatos ocultos | Fabiane Secches	22
A casa de chás | Mariana Salomão Carrara	26
Véu do dia | Ágda Santos	30
Rumba | J. Fiúza	36
Aquele peso em mim, meu coração | Danielle Sousa	40
Um vulto | Renata Oliveira	50
Mariposas | Verena Cavalcante	54
O que acontece em um jardim na madrugada | Francine Ramos	60
A mulher de trinta anos | Eduarda Sampaio	68
Fitas de promessas | Maria Carolina Morais	80
Ouro de dentro | Mariana Paiva	92
Ânsia | Letícia Zampiêr	98
No hospital, às 00h30 | Jéssica Reinaldo Pereira	106
Espera | Maurem Kayna	114
Uma mulher olhando uma árvore | Julia Codo	122
Os olhos do pai | Fernanda Fontes	126
Sinfonia | Mariana Luppi	130
Risadas | Alessandra Jarreta	138
A falta da história | Sabrina Sanfelice	142
Do outro lado da fresta | Cila Santos	148
As novas intermitências da morte | Amanda Lins	160

Tudo começou com uma hashtag. O ano era 2014, e a escritora Joanna Walsh propôs o desafio de se ler mais mulheres. Com a hashtag #readwomen2014, a ideia rapidamente se espalhou pela internet.

No fim daquele mesmo ano, Juliana Gomes decidiu trazer a hashtag de Walsh do mundo virtual para a realidade. Transformou a provocação em um clube de leitura, e convidou Juliana Leuenroth para mediar o clube em São Paulo. Michelle Henriques se juntou ao time logo em seguida. Nasceu assim o Leia Mulheres.

As três convidaram amigas do Rio de Janeiro para que os encontros acontecessem por lá também. Depois foi a vez de Curitiba. Aos poucos, mulheres de várias cidades do Brasil começaram a entrar em contato pedindo informações sobre como criar clubes. Foi feita uma página no Facebook e depois um site. Em pouco mais de dois anos, já havia núcleos de leitores lendo e discutindo obras de mulheres em praticamente todas as capitais do Brasil. Em geral, mulheres lendo mulheres. Mulheres ávidas por ouvir a voz literária de outras mulheres.

O clube não parou de crescer e, em março de 2019, completou quatro anos de existência. No momento em que escrevemos este texto, há núcleos em mais de 100 cidades brasileiras, e também no Porto, em Portugal.

Se havia tantas mulheres querendo ler mulheres, talvez muitas também estivessem escrevendo. Cercadas de amigas escritoras de muito talento, Michelle e as duas Julianas logo pensaram que desses encontros também poderia brotar literatura de qualidade. Ainda em 2015 nasceu, então, a ideia

APRESENTAÇÃO

desta coletânea, e o trio saiu em busca dos contos que muitas escreviam, mas nem todas compartilhavam. As coordenadoras entraram em contato com as mediadoras e outras mulheres atuantes no mercado editorial de alguma forma e começaram a selecionar os textos.

Conforme o Leia Mulheres crescia, a visibilidade também aumentava, e chamou a atenção do Sweek – plataforma de compartilhamento de conteúdo literário na internet, que chegou ao Brasil em 2016 e em setembro de 2018 já contava com mais de 300 mil histórias disponíveis na rede.

Entre as atividades do Sweek, está a promoção de concursos literários – e diversas mediadoras do Leia Mulheres foram convidadas a participar do júri para selecionar textos escritos por mulheres. Então, aproveitamos a oportunidade para apresentar aos leitores as ganhadoras de 2017 e 2018. São os contos: "Irmã e Irmão", de Gabriela Domiciano; "Rumba", de J. Fiúza; "Sinfonia", de Mariana Luppi; "Do outro lado da fresta", de Cila Santos; "As novas intermitências da morte", de Amanda Lins, e "Uma mulher olhando uma árvore", de Julia Codo.

Com esta reunião de 23 contos de todo o Brasil, o projeto Leia Mulheres traz a seus leitores uma diversidade de vozes, dos mais variados estilos de prosa. E os convida para uma experiência de multiplicidade, em parceria com a Pólen Livros, que embarcou conosco no projeto para espalhar cada vez mais a literatura de mulheres.

Boa leitura!

UMA PROMESSA

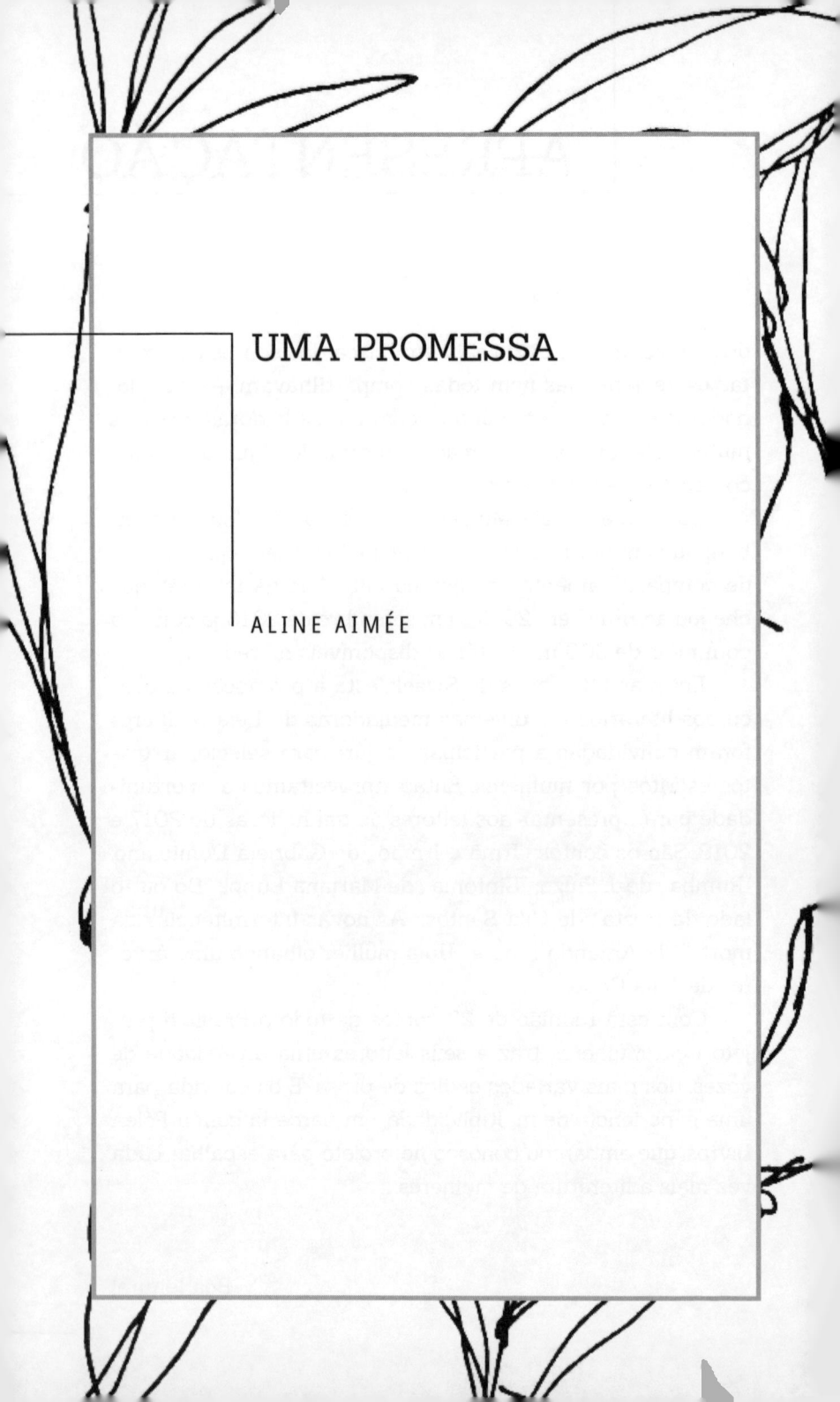

ALINE AIMÉE

UMA PROMESSA

Não era bem o que tinha planejado. Quando Dalila decidiu submeter um conto para certa coletânea de novos autores, tentou escrever um texto modesto, ainda que honesto. Algo que não a envergonhasse no futuro. Buscou um estilo seco e conciso, evitando frases longas e o abuso de adjetivos. Fugiu de temas ofensivos, embora também não quisesse soar politicamente correta demais. Tentou ser clara, utilizando só uma palavrinha mais difícil que desse certo brilho, ainda que sutil, ao texto. Procurou dialogar com a tradição, mas cuidando para que o efeito não resultasse pretensioso, carregado de citações ou de referências obscuras. Evitou, ainda, lugares comuns que a filiassem muito claramente a um estilo mais clássico ou a um mais contemporâneo.

Tarefa concluída, sentiu um misto de satisfação e dúvida. O texto parecia eficiente, mas também um tanto impessoal, quase alheio, como se tivesse sido escrito por outra, ou qualquer pessoa. Faltava algo como uma assinatura própria. Pediu a opinião da irmã mais nova, que olhou o monitor com empáfia e leu o conto encenando gravidade. Seu veredito:

— É muito certinho, muito redondo. Não tem vida, soa artificial. Por que você não reescreve chapada?

O ridículo da sugestão atenuava a seriedade da crítica e lhe diminuía o peso, por isso Dalila não lhe deu grande importância a princípio. Conforme as horas foram passando, no entanto, os argumentos da irmã lhe pareceram mais e mais contundentes. Talvez devesse dar uma última arrumada no texto, ponderava, embora o tempo fosse curto para reescrever a coisa toda. As mudanças não precisavam ser drásticas. Maconha definitivamente não era uma opção, mas algum humor e auto-ironia poderiam ser incluídos sem tornar o tom excessivamente escrachado. Arriscou uma buriladinha aqui e ali, e conseguiu uma versão menos austera, que enviou sem muita reflexão. Teria ainda muito tempo para se dedicar a sua incipiente carreira literária. Continuaria praticando, com coletânea ou sem. Não era importante.

A resposta chegou rápido: três dias depois, um e-mail com o aceite e elogios de praxe, sem muito entusiasmo, acompanhados do contrato e das informações do lançamento. Por mais que tentasse não dar importância demasiada ao fato, Dalila experimentou um festejo íntimo, a satisfação de quem cumpre bem uma tarefa. Já em seguida tratou de afastar de si pensamentos muito esperançosos e empolgados. "Que bobagem!" Ser publicada não era garantia de que seu conto seria bem recebido pelo público, então a jovem preferiu guardar a notícia de familiares e amigos, deixando para revelá-la somente na ocasião da publicação. Mesmo então buscou ser discreta. Não queria bancar a fodona e depois ter de enfiar o rabicó no meio das pernas.

Felizmente nenhuma atividade excepcional foi exigida do rabicó de Dalila, pois a recepção foi muito além do esperado. E-mails inundaram a caixa de entrada da moça: elogios de leitores, parabéns dos amigos, editoras que sugeriam a publicação de uma coletânea só sua. Jornais queriam entrevistá-la, blogueiros destacavam seu conto dentre os demais da coletânea, links de resenhas nas quais seu texto era citado chegavam o tempo todo. A irmã a congratulou com ar de sabedoria, certa de que a nova celebridade da família havia seguido seu conselho.

"Ora, ora!"

A escriba neófita não estava preparada para um alvoroço de tal monta e relia o conto, entre incrédula e confusa.

Sabia ter feito um bom trabalho, mas não era para tanto. Intercalava a leitura das resenhas com a releitura do próprio texto na esperança de compreender se tantos elogios lhe eram, de fato, devidos, mas a sensação era a de que lia sobre outro texto e outro escritor, como se todo aquele furdunço não lhe dissesse respeito.

O que mais a intrigava era o teor de várias resenhas: seu texto havia sido tomado como uma crítica ao cenário literário corrente. A rigidez formal a que sua irmã se referira anteriormente foi entendida por muitos como sátira: "Finalmente uma escritora corajosa, capaz de confrontar o império dos pastiches pós-utópicos".

"Mas, oi?"

Ficou mais aturdida quando um ensaísta renomado sugeriu que seu conto criticava abertamente o último trabalho do imortal Souza Passos, autor cuja obra ela não só admirava como também, secretamente, punha em seu horizonte de ideal estético.

"Hein? Nem sob efeito de psicotrópicos eu teria ousado atacar a obra de semelhante monumento."

Mal tinha tempo de reagir. Eram tantos louvores por sua lucidez, por sua argúcia... O conto era um respiro num oceano de opacidades. "Um texto aberto, instigante, repleto de camadas." Críticos citavam Barthes para discutir as nuances de seu trabalho, descreviam seu estilo como uma mistura da ironia de Nelson Rodrigues com o existencialismo de Clarice. Era algo novo, ousado. Um prodígio de execução que Dalila jamais sonhou fazer brotar de sua cabeça cacheada e ligeiramente redonda. Todo o Borges que havia lido não bastara para antecipar essa situação. Sentia-se uma espécie de Pestana às avessas: sua polca tímida havia se convertido numa peça clássica.

"Mas como? Tanto barulho por um único conto?"

Os convites não paravam de chegar. Ofereceram-lhe colunas em jornais e revistas. Instavam-na a compartilhar suas ideias originais. Que fazer? Qualquer direção sugerida parecia equivocada. Se se retirasse de cena, recusando os convites todos, poderia estar deixando passar a oportunidade de sua vida. Se tomasse proveito dessa boa maré, se sentiria usurpando o iate de outra pessoa.

Ocorreu-lhe que, enquanto as pessoas a procurassem, ela não estaria usurpando coisa alguma. O único ato de que tinha responsabilidade era o envio do conto; logo, atender a convites era reagir a iniciativas alheias. A ideia de não ser a autora do passo inicial serviu-lhe de consolo por um momento e a moça foi se permitindo arriscar, ainda que sem muita convicção. Não era fácil negar tantos convites. Todos eram tão insistentes e pareciam tão certos de seu inquestionável talento. Cada novo convite aumentava a sensação de absurdo, mas não o suficiente para frear sua vaidade crescente. Sempre com algum desconcerto, Dalila compareceu aos eventos, publicou mais contos em revistas, algumas resenhas em jornais, falou em conferências... Parecia errado recusar aqueles convites. Parecia...

Todo espírito humano sonha ser capaz de um portento que lhe justifique a existência. No caso de Dalila os delírios íntimos nem eram tão grandiosos e nem ela imaginava que se destacaria, se tal fosse o seu destino, tão cedo. Seria essa a sua hora crucial? Um espetáculo de sombras sustentado tão somente por uma frágil cortina de anseios compartilhados?

Na vida pública, que acabou abraçando, adotou a mesma atitude de quando produziu o conto. Foi cuidadosa, quase hesitante. Chamavam-na modesta, perspicaz. "O germe de uma verdadeira pensadora. Uma inteligência comprometida com a arte e sem interesse nos fátuos lampejos da fama vã. Uma promessa." No fundo, começava a se sentir mais confiante. Seus receios pouco a pouco cederam espaço para os louvores recebidos de forma tão reiterada.

***

Ocorre que, numa tarde quente de dezembro, Dalila viu-se num debate com o próprio Souza Passos e, por mais que tentasse desmentir a crítica que inadvertidamente lhe atribuíram, o ilustríssimo escritor se empenhou o quanto pôde em lhe diminuir os méritos. Munido do linguajar mais castiço e atirando perdigotos numa plateia constrangida, atacava a incauta rival indiretamente, com ofensas dirigidas a "essa nova geração", que chamou superficial e parasita.

— Embusteira!

Curiosamente, ninguém pareceu notar que boa parte dos argumentos que Dalila usou para se defender era baseada no trabalho crítico do próprio Passos. O imortal tampouco se deu conta, já que não escutava nada além dos vitupérios indignados que disparava quase sem respirar. Público e crítica lamentaram os excessos do grande mestre. Houve mesmo quem lhe tachasse de ressentido.

"Dinossauro!"

"Seu tempo acabou."

Colunas e coletânea encaminhadas, Dalila ia se deixando levar. Não tinha plano mais nobre que justificasse jogar tudo para o alto. Por ora não havia se embrulhado com nenhuma de suas declarações ou trabalhos subsequentes, então continuou seguindo os passos daquela dança esquisita como uma figurante desavisada numa companhia de bêbados. Deixou-se usar e foi usando também. Valeu-se.

Ao se deitar, encarava os volumes de grandes escritores nas prateleiras de sua estante e virava para a parede, ressabiada.

"Embusteira!"

Desde o fatídico debate, não sabia o que era uma noite tranquila. Repousava a cabeça no travesseiro com um muxoxo. E ainda o ódio de Souza Passos, cuja obra orgulhava-se de ter lido toda! Na estante, os livros do autor aviltado jaziam acusatórios.

"Embusteira!"

Como uma piada machadiana, a glória se anunciava para Dalila em passos ébrios. Não era bem o que tinha planejado.

Aline Aimée *nasceu e mora no Rio de Janeiro. Mestre em Literatura Brasileira pela Uerj, publicou contos e poemas em coletâneas e sites diversos, e a coletânea independente de poemas "12 pétalas, nenhuma flor". Fala de livros no canal Chave de Leitura e é mediadora do Leia Mulheres no Rio de Janeiro.*

IRMÃ E IRMÃO

GABRIELA DOMICIANO

Cada qual em sua janela, duas crianças seguiam por uma rodovia tortuosa no banco traseiro do carro. A irmã e o irmão. Sabiam empregar o que anos mais tarde estudariam formalmente por artigo definido feminino singular e artigo definido masculino singular. Era bastante nebuloso o porquê de se chamarem por palavras semelhantes e, no fim das contas, distintas. Às vezes não se aprende às claras sobre muitas coisas, entretanto elas continuam a operar. Existia uma intuição. Mas, naquele momento, a questão achava-se posta de lado.

A questão pulsante era a dificuldade enfrentada para dormir durante a noite anterior. Se fossem adultos, sempre que acordassem, espiariam o relógio. Todavia, por ignorarem a prisão do tempo em números, a madrugada foi inquantificavelmente longa, e só restava esperar, confabulando sobre o que estava por vir, entre curtos cochilos, abrindo sobressaltadamente as pálpebras a todo momento. Já é a hora?

Enfim a hora veio. Puseram-se a caminho. A estrada sucedia-se infinitamente. Iam mais distante que qualquer percurso pregresso. O desconhecido. As janelas revelavam algumas minúcias da paisagem fugidia lá fora. Seriam as montanhas velhos gigantes adormecidos por séculos? Ou seriam antigas carcaças de dinossauros, cobertas agora pelo mato e pelas árvores? A cada curva brotava, para logo depois murchar, a expectativa pela grande descoberta que poderia se descortinar. Estamos chegando?

No rádio as músicas cantavam sobre o vento que voava o mundo e jamais tocava as estrelas que habitavam as profundezas do oceano, inacessíveis aos cavaleiros de épocas antigas, que temiam as ciganas viajantes adoradoras da Lua com sonhos impossíveis escondidos em rios que fluíam por campos onde nasciam girassóis que teciam fios de segredos para bordar vestidos, para se embarcar em trens azuis que atravessavam florestas doces com sabor de cravo e igrejinhas repletas de medo do escuro, assoladas por temporais avassaladores com perfume de canela e pássaros que pousavam à beira de ribeirões em casas aconchegantes cercadas por troncos centenários e jardins.

Por instantes intermináveis avançaram. Até olharem despretensiosamente para a esquerda, em direção ao horizonte, e perceberem-se incapazes de dizer onde se encontrava o chão. Os pés das serras lá embaixo se dissolviam em um precipício azul. Náusea e vertigem. Tremiam e davam gritos agudos. O que é aquilo? Onde está a terra? A terra tem um fim? Ali começa o céu? Então esse era o mar! Um grande abismo, imensurável tal qual o tempo que se ignora maneira de contar.

Foram direto para onde se hospedariam, escurecia, ver o mar de perto só no próximo dia. Outra noite eterna. Quando a primeira luminosidade irrompeu pelas frestas, levantaram impacientes e acordaram a mãe e o pai. Engoliram o café da manhã e apressadamente foram se vestir no quarto.

A mãe colocou o biquíni na irmã e a sunga no irmão. Ao mirar a irmã e constatar uma diferença, os próprios mamilos descobertos, o irmão perguntou pela parte de cima da roupa de banho que acreditava lhe pertencer. A mãe respondeu, as meninas usam a parte de cima, os meninos só usam a parte de baixo. Procurou pelo sentido da afirmação, excluindo-se o pequeno detalhe entre suas pernas, ele e a irmã não eram iguais? A falta de compreensão tomou forma de choro. O pai foi entender o que acontecia. O irmão permanecia irredutível, queria a parte de cima. Negaram. O choro persistiu, mais alto, mais forte.

IRMÃ E IRMÃO

Uma birra por bobeira desmedida, injustificada! Desejavam conhecer o mar? Caminharam rumo à praia, o irmão emburrado ao longo do trajeto inteiro. Almejava ser como a irmã para ter permissão de esconder a intimidade de seus mamilos. Obrigavam-no a exibi-los, isso lhe causava uma espécie de constrangimento. Cruzou os braços sobre o peito. A novidade desses dias ia além do mar.

Aos poucos vislumbraram a linha tênue separando as vastidões do firmamento e do oceano. A areia se fazia fofa na sola dos pés, o sol aquecia gentilmente a pele, o barulho das ondas no infindável ciclo de ir e vir, a brisa trouxe as primeiras moléculas que experimentariam, o mar possuía um aroma! O irmão descruzou os braços, as lágrimas haviam secado. Correram desatinadamente. O toque da água era frio no corpo e nem sequer hesitaram, moveram-se adiante com avidez por se misturarem em tanto líquido, as ondas envolveram suas cinturas, provocando um arrepio desde o ventre até os tornozelos, quebravam violentamente, por vezes empurravam para trás, insistiram, provaram, maravilharam-se, o gosto salgado de tal maneira que ardia na boca, nas narinas, nos olhos, intenso conforme deveria ser.

O choque contra a arrebentação acabou por deslocar a parte de cima do biquíni da irmã; ao notarem, localizava-se no meio da barriga. Riram. Ela a arrancou e jogou longe, entregou para o mar que arrastou a miúda peça até sumir do alcance da visão. Ainda eram crianças e, mergulhadas em tamanha imensidão, quem precisava de um artigo assim tão definido?

Gabriela Domiciano *é arte-educadora, servidora pública, tentando encontrar pausas para a escrita no caos cotidiano.*

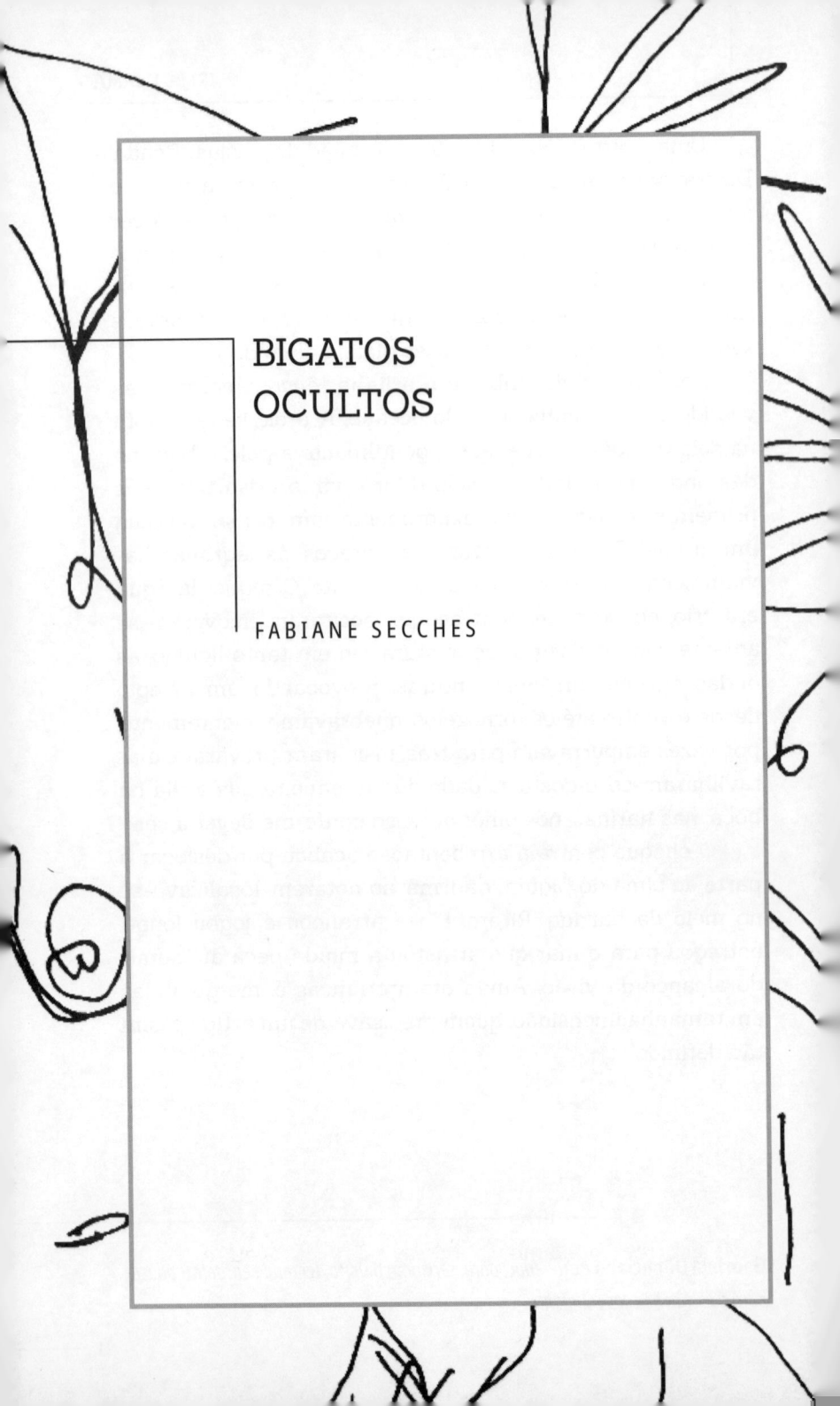

BIGATOS OCULTOS

FABIANE SECCHES

1.

Enquanto apanha a calça de linho no armário, Lídia lembra que é época de jabuticaba. Gosta de feira como as amigas gostam de missa. Escolher os vegetais mais vistosos, inspecionar os bigatos ocultos: goiaba, jiló e berinjela pediam vistoria criteriosa. Óculos de leitura, mãos ágeis, ela não falhava.

Na feira de orgânicos, a aventura era imprevisível. Os feirantes se distribuíam sempre na mesma formação, mas os vegetais tinham sua ordem própria. Se não estavam maduros, se por algum capricho não cresciam na época: hoje o abacate está verde, esse mês a mexerica não presta, a safra inteira saiu amarga.

Pensa nos braços fortes da mãe e na feira suja e pobre de pequena. Carambola só provou quando tinha as meninas, inhame quem apresentou foi a neta. Agora engrossa receitas, rende um bom purê, faz até sorvete. Cará, taioba, peixinho — depois de velha, ganhou novo vocabulário. Se a mãe pudesse ver a diligência com que a seguia, estufaria de orgulho.

2.

Lídia comia de tudo, mas evitava enlatados, engarrafados, embutidos. O marido, ao contrário, era um trator: bolachas recheadas, frituras encharcadas, botava duas colheres de açúcar em um único copo de suco. Dizia que preferia viver pouco, mas bem. De que adiantava uma vida longa e cheia de restrições?

Não teve uma coisa nem outra: viveu muito, e mal. Diabético desde os quarenta, passou a ter dificuldade para andar. Não ajustou os hábitos: sopa de legumes, ele despejava sal; chá de camomila, empurrava a xícara, retorcendo o rosto como se fosse estrume. As filhas desistiram há anos: mamãe, a senhora só perde tempo, ele sempre faz o que quer.

Quando passou a ter problemas de memória, redobraram os cuidados. Lídia seguia dedicada, não se exaltava, com ele não dava sinal de exaustão. Um enfermeiro vinha ajudar com o banho e a troca de fraldas. A doença aborrecia, embora não fosse de todo ruim: o marido havia se tornado mais dócil, aceitava comer de tudo que preparava. Tome, é o seu suco preferido — entregava o copo de mamão com laranja e ele engolia com gosto sem desconfiar que antes bastava o cheiro de mamão para o estômago embrulhar.

3.

A feira da Água Branca acontece em três dias da semana: terça, sábado e domingo. Lídia se contenta em ir às terças e sábados. Quando sai demais, adivinha o ar de reprovação no silêncio do enfermeiro.

Com os anos, o carrinho anterior passou a travar: as garoas fora de hora e a umidade das verduras causaram algum estrago, enferrujando a estrutura. Então ganhou da filha esse outro, com uma sacola de lona acoplada. Não acomoda as compras tão bem quanto o primeiro, mas Lídia gosta de pensar em si mesma como alguém que não se ressente.

A postos, com o carrinho ao lado, encontra o espelho do corredor e se dá conta que as cores que veste ornam com as da lona, ambas listradas de bege, marrom e um tom alaranjado. Os olhos embaralham. Por um instante, Lídia e o carrinho pareciam revestidos da mesma matéria, partes de um só corpo. Chegou a tocá-lo para confirmar o que sentia. Que bicho engraçado ela seria. Sorriu, girando o indicador ao lado da cabeça, e disse em voz alta: velha louca.

Fabiane Secches *nasceu em Minas Gerais, vive em São Paulo e é doutoranda em Teoria Literária e Literatura Comparada pela Universidade de São Paulo.*

A CASA
DE CHÁS

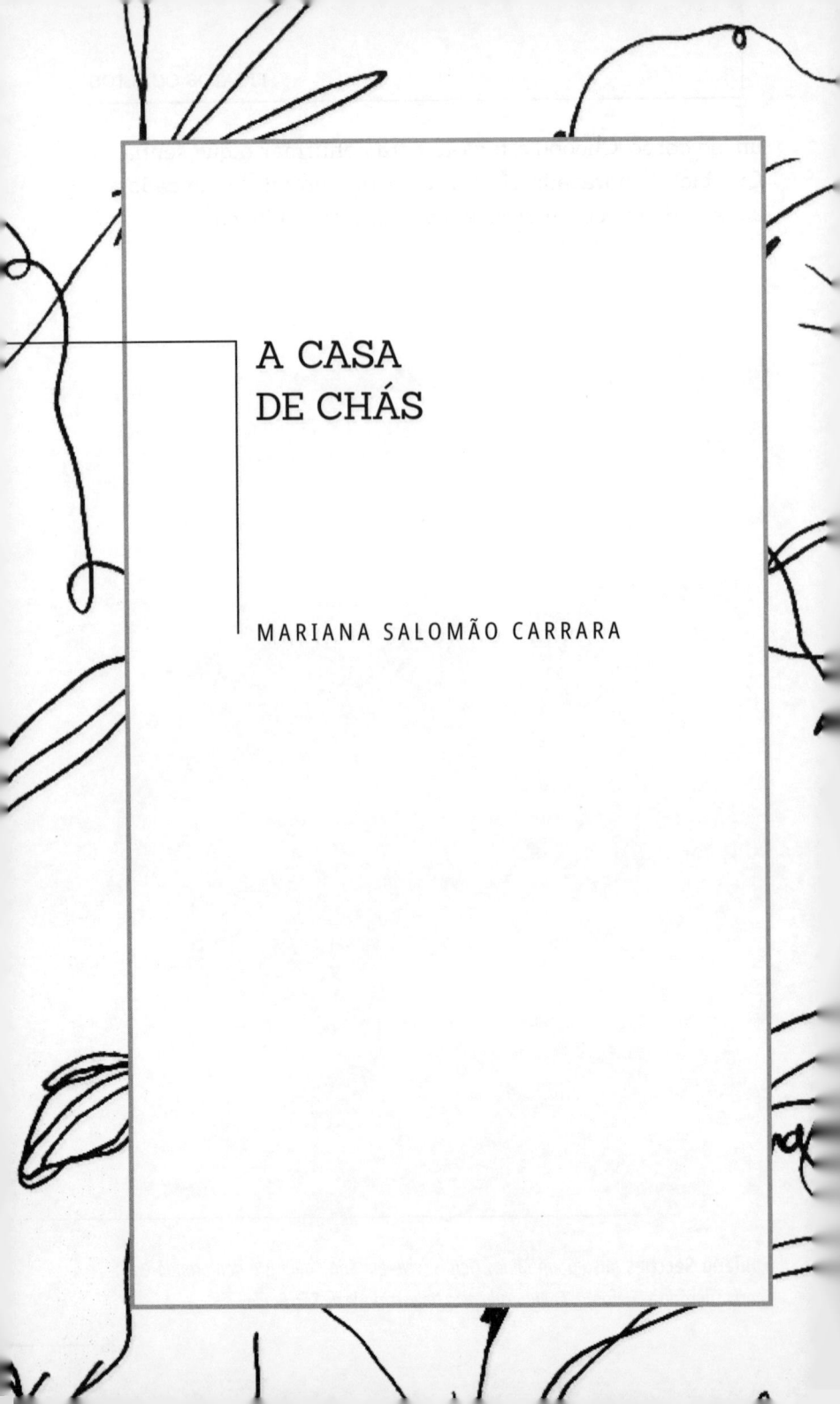

MARIANA SALOMÃO CARRARA

A CASA DE CHÁS

Todas as tardes a menina no mesmo canto jogada na poltrona vermelha, os pés descalços apoiados na mesinha, cada semana um livro imenso no colo a oscilar de posição conforme o peso nos braços, pedia um chá, e gostava de ir ao banheiro só de meias, como se fosse a própria casa, ou a casa da avó, o chão de madeira rangendo sob os tapetes. Quando voltava do banheiro o chá ali posto na mesinha, a dona a espiava silenciosa por detrás do balcão.

A dona já ia com muita idade, a pensar que a menina com esse uniforme tão escolar por sua vez não tivesse idade para tantos livros, nem para tomar chás, mas também se não tinha idade para tomar chás ia tomar o quê? As tardes lentas sem clientes, o sol mudando de uma janela à outra, depois uns ventos, e antes da noite a menina levantava e guardava o livro e punha o tênis e pagava o chá e um bolo, e finalmente lançava um sorriso afetivo que a velha não tinha tempo de retribuir, sempre intrigada, e acabava sorrindo só depois que a menina já ia.

Às vezes a gata malhada que vivia nos fundos da casa subia ao colo da moça, que a ajeitava com naturalidade junto ao livro, como se fosse uma gata sua, ou a gata da casa da avó, e ficavam ali as três no silêncio, ou ao som de pianos clássicos ou canções portuguesas que a velha ligava baixinho sem saber se atrapalhava a cliente, muitas vezes ao dia levantava a cabeça das suas próprias leituras para olhar se a menina queria outro chá, outro bolo, se fazia qualquer sinal, se afastava pernilongos, se o sol batia direto no olho, de repente fosse melhor puxar as cortinas, com o tempo passou a trazer a tábua da cozinha para o balcão para picar ali mesmo o que tivesse de ser picado, de jeito que pudesse estar próxima, disponível, caso a menina quisesse alguma coisa, ou acabasse o livro e quem sabe precisasse de outro, lá em cima teria vários, quem sabe ela acertasse o gosto, uma sugestão embaraçada, gaguejada, ou um livro que ela estendesse disfarçado embaixo do cardápio, como se fosse um equívoco, coisa à toa, nada a que tivesse dedicado grandes planejamentos.

Às vezes sobrava tanto almoço dos executivos que ocupavam a casa retumbantes e em meia hora saíam, vozeirões pelas mesas, e a menina chegava depois, tão discreta, e a velha ensaiando por horas oferecer um prato antes do bolo, uma cortesia, monto do seu jeito, e nunca a coragem, as duas e a gata quietas no ruído das folhas do livro e das facas nas cenouras, de vez em quando ao fundo a batedeira uns instantes para o bolo da noite, um ano passando e a menina ali quase todos os dias feito uma neta fiel de quem bastasse a companhia, as pernas bonitas estiradas na almofada, a velha a gostar de ver a poltrona num conforto tão impossível, a menina a espalhar as vértebras pelos apoios, o braço displicente esticando até a xícara.

Calçou o tênis e caminhou como sempre até o balcão, o dinheiro contado exato, a velha dessa vez pronta para o sorriso, mas a menina de repente a abrir a boca para dizer alguma coisa, O abajur, Poderia ter um abajurzinho ali do lado da poltrona, Seria tão bom quando vai escurecendo, a velha querendo dizer claro que sim, era uma ótima ideia, mas na verdade recolhendo o dinheiro muito séria, ressentida pelo ano que correu inteiro sem o abajurzinho, vasculhando o andar de cima dentro da memória à procura de algum abajur que lhe servisse de imediato, pesarosa de haver deixado a menina a ler no escuro contra o sol da janela tanto tempo, por isso talvez ela levantasse ao mínimo sinal da noite, houvesse o abajur e talvez até ficasse para o jantar, esquecesse a hora com o olho perdido no livro e depois aceitasse uma sopa, um sanduíche.

Logo no dia seguinte a velha a ajeitar um abajur junto à poltrona, a coluna a doer-se queixosa da busca pela tomada, comemorou a lâmpada acesa – talvez não tivesse mais idade para iluminar-se –, e os executivos vieram e se foram nos seus ruídos de almoço e a casa vazia esperou acesa a menina que não veio. Nem no outro dia, nem no mês inteiro. A gata de vez em quando em cima da poltrona a tentar fingir que a menina não fazia falta, e a velha a pegá-la no colo e a explicar no seu ouvido, Sossega que as netas todas deixam de vir, um dia elas simplesmente não vêm mais.

Mariana Salomão Carrara *tem livros publicados pela Off-flip e Quintal Edições, e um romance a sair em coedição pelas editoras Edith e Nós (prêmio Casa Paratodxs). No Facebook publica na página Delicada uma de nós.*

VÉU DO DIA

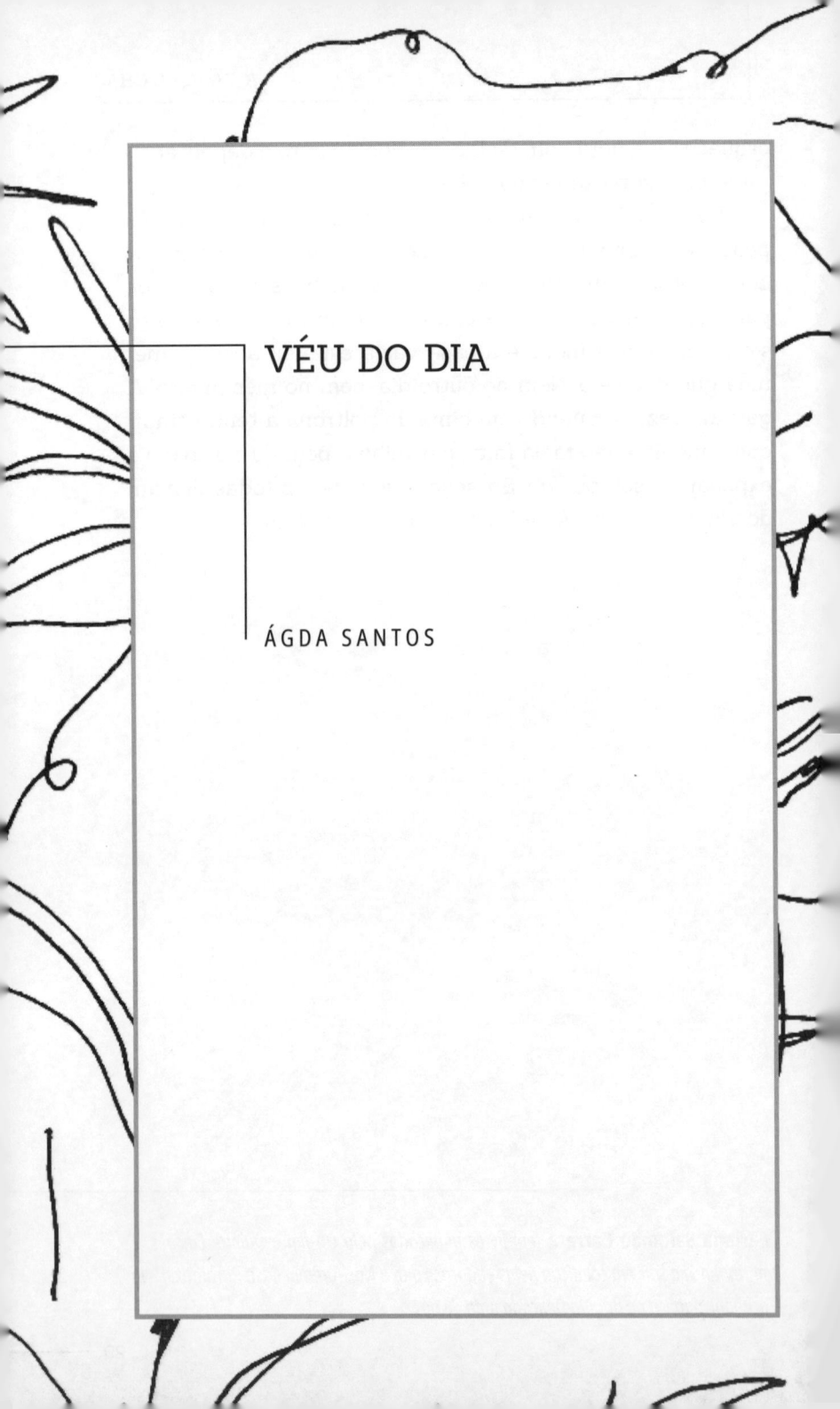

ÁGDA SANTOS

Mais uma vez oran voltava para sua casa e eu ainda não estava acostumada com sua ida. Não por temer a noite ou algo do tipo. Quando mais nova, o que eu mais temia era aquela luz artificial que nunca ia embora. Lembro que, conforme eu crescia, a imposição dessa luz diminuía. Seus recursos não eram infinitos e, quando jovens, inventávamos desafios todos os dias, tentávamos imaginar como seria viver sem aquela luz, sem todas as regras que aquela sociedade dizia ser igual para todos.

Uma brincadeira repetitiva tendo em vista as tantas proibições que eram impostas para meu povo naquele tempo. Liberdade era um conceito antigo, quase esquecido. Sentia que vivíamos sempre interpretando outras pessoas, outra sociedade. Em casa, depois dos estudos, podíamos brincar. E ali nossa imaginação dava forma a tantas coisas, animais, arquiteturas diferentes, cores e sons. Era como se na brincadeira, sem perceber, estivéssemos enfim sendo nós mesmos. Durava tão pouco esse intervalo. Havia muitos sensores, captores de luz que procuravam qualquer padrão fora do que deveríamos estar praticando. O bom comportamento padronizado, roupas monocromáticas, coisas tão sem graça que tenho pena até hoje da pessoa que achou que seguir padrões era o caminho para a paz entre povos tão diferentes.

A luz artificial não havia acabado por si só, nós acabamos com ela. O que é hilário. Nós criamos e nós destruímos. Talvez eu esteja sendo muito extremista ao mencionar destruição por parte de todos nós. Não foi bem deste modo que aconteceu. Não houve fim do mundo, e a guerra, quando veio, acabou por afetar apenas aqueles que se permitiram depender de uma luz que no fim das contas só ofuscava tudo ao redor.

Muitos de nós nos recusamos a utilizar a luz artificial. Afinal de contas, para nossa comunidade, ela era imposta e não ofertada. O dia inteiro debaixo daquela maldita luz. O escape era sempre um alívio. Pequenas fugas para não esquecer quem erámos e de onde viéramos. Nossa comunidade era uma mistura de tantos antepassados que às vezes eu me perdia nessas origens. Tentava entender se era ruim aquela multiplicidade de informações, de histórias, e como isso refletia em mim. Tantas imagens apareciam durante meus sonhos. Danças que eu nunca via, movimentos que meu corpo correspondia quando de repente começavámos a batucar na mesa e minha iyá corria desesperada pedindo para que parássemos com aquilo.

Por muito tempo acompanhei a pesquisa e o esforço de amigos em resgatar a história de vários povos tão antigos, dos quais nós herdamos todos esses traços, laços, cores, tradições e gingados ao ouvir o som de um tambor. E boa parte foi colocada em livros, filmes, música. Não era uma reconstituição perfeita, mas já era algo. Mas o erro deles, o nosso erro, foi achar que colocar tudo dentro de livros, todas as tradições que conseguimos recuperar, que esse gesto bastaria. Esquecemos que aquilo seria mais uma forma de exclusão. Reter conhecimento nunca era bom. Reter qualquer coisa pra si era o mesmo que pedir para acabar o mais rápido possível.

Em nosso tempo o ensino era sistematizado, padronizado, compilado e repetitivo. Acreditavam que era mais eficaz. Eu via apenas como mais outra forma de exclusão. Não havia liberdade para escolher o que se estudar, em qual área se especializar. Não havia reformas no ensino. Muitos estavam acostumados com todas essas repetições e por vezes eu esquecia todas as regras de bom comportamento que minha iyá me ensinava e acabava por soltar perguntas que incomodavam professores e alguns colegas de turma. E o mais triste de tudo é que não havia espaço para as mulheres. Nossa educação era algo tão restrito, em tantos âmbitos. Tantas proibições. Tantos abusos. Até uma boneca de pano parecia ter mais liberdade do que nós. Vizinhas, irmãs, colegas, moças, que eu via pelas ruas. Era uma solidão tremenda dentro de cada uma.

Quando criança, eu não entendia quando minha iyá me vestia cobrindo toda a minha pele. Ela dizia que era melhor pra mim. O que eu podia fazer quando minha iyá me dizia essas coisas com a voz trêmula? Eu sentia falta de oran. Mas há aqui um fato interessante, porém só compartilharei mais a frente. Fará mais sentido, eu prometo.

Isso me fez lembrar da origem da luz artificial. Era uma solução temporária. Ninguém lembrava ao certo, mas algum membro de nossa comunidade acabou por inventar tal luz artificial para nos proteger. Eu confesso que discordo dessa invenção. Ou pelo menos dessa intenção de nos proteger.

Durante a infância, ao ser obrigada a me esconder do oran e viver sob essa luz artificial, eu me sentia presa. Vivia doente, apática. Uma criança que vivia lendo por não sentir vontade de fazer mais nada. Minhas irmãs e irmãos não eram diferentes de mim. Minha iyá nos olhava, com aquela agonia no peito, e sempre repetindo que era o melhor para nós.

Escola, trabalho, supermercado, festa, ruas... Luz artificial em todo lugar. Às vezes eu brincava ao chamar a luz artificial de "Ih-lusão", quando tinha por volta de uns seis ou sete anos. Depois fui seriamente repreendida por minha iyá. Para falar a verdade, ela vivia nos repreendendo de alguma forma. A mim ainda mais por ser mulher.

Quando somos jovens não entendemos que aquilo, todos os excessos de cuidados, eram o puro medo encravado na pele. Pele, cor, ser mulher. Eu não entendia por que havia tantas proibições só porque eu me encaixava em todas essas categorias. Fui me apaziguando com o tempo e a luz artificial foi se acabando. O resto do mundo esquecera de onde viera e foi ali, enquanto muitos se perdiam, que eu me encontrava.

A luz artificial de fato nos aprisionava. Nosso corpo, nossa mente. E apesar de muitas amarras, minha família nunca esquecera pequenas tradições. O mundo entrava em trevas e nós voltávamos a emanar luz. E aqui nós podemos atribuir muitos significados ao que seja a luz. A artificial cegara muita gente, e nós, que sempre fomos obrigados a viver sob essa luz, passamos a aproveitar quando boa parte do mundo esquecera que aquela luz não nos unia. Que quando essa luz passara a ser privilégio e não mais obrigatória, naquele exato momento nossos peitos vibravam como nunca havia acontecido antes.

O primeiro contato pareceu uma carga máxima de energia. Depois de muitos anos vi minha verdadeira cor e senti vontade de me dividir em duas, três... Me dividir em quantas pudesse apenas para apreciar meu corpo, meu rosto, meu cabelo. A vida pulsando e eu por fim sentindo que fazia parte de onde meus pés estavam. A sensação não chegava nem a um por cento do que eu imaginava que seria ao permitir que meu corpo fosse dedicado a oran.

Esse primeiro contato aconteceu durante uma aula de fotografia. O professor havia nos levado para ver o oran nascer numa praia. Ele queria nos ensinar o conceito de sombra e luz. Eu estava ansiosa por essa aula, mas temia que ele descobrisse o que iria acontecer comigo ao mínimo contato com oran.

Procurei me vestir da melhor maneira que minha iyá havia me ensinado e sentei o mais longe do professor. O que era uma pena, ele já era bem idoso, voz mansa, baixa. Oye era algo que emanava dele. A turma era pequena, poucos se interessavam por fotografia em nossa idade. E, no fim, ninguém se importava com ninguém naquele tempo. O individualismo alcançara graus surpreendentes. E eu torcia para que essa regra imperasse, caso alguma pontinha de oran chegasse até mim. O medo de minha iyá entrava aos poucos em mim. O medo do desconhecido era o meu pior medo naquele momento.

Muitas histórias nos eram contadas quando crianças. Nenhuma com provas.

Conforme o dia ia clareando, o professor diminuía a luz artificial que estava ao nosso redor, para nossos olhos não sofrerem com a transição. A primeira coisa que me chamou a atenção foi em como o professor sabia que oran estava nascendo. Talvez com a idade ele tenha desenvolvido essa habilidade. Mas eu sentia que havia algo mais por trás. Ele era o único professor que nos levava para aulas de campo. Mas aquela era a primeira vez que iríamos estudar no limite das regras de segurança da luz artificial.

Com um punhado de yanrin em cada mão, ele nos contava mais uma vez o surgimento da fotografia, os primeiros processos, máquinas, nomes... A cada frase, ele fazia desenhos no chão. Pequenos traços antigos que eu via minha iyá desenhar às vezes na mesa de casa, para em seguida apagar com medo de que nós tivéssemos visto.

Eu estava tão fascinada com a explicação, os desenhos na yanrin, em como um complementava o outro. Tudo de modo tão simples. Acabei não percebendo que oran estava burlando todos os obstáculos e chegando até mim, até meu professor e outras alunas. Depois de muitos anos ainda não consigo explicar a sensação que era ver e sentir minha pele sendo ela mesma. Sentir e ver quem eu verdadeiramente sou. Me sentir viva. Sair da opacidade, da apatia.

Significado das palavras em Iorubá
oran: sol; *iyá*: mãe; *oye*: sabedoria e *yanrin*: areia.

Ágda Santos, *28, é entusiasta afrofuturista e poeta da terra preta. Fundou o primeiro Leia Mulheres da região Norte com uma amiga em sua cidade natal, Boa Vista (RR).*

RUMBA

J. FIÚZA

Foi ao som de Paco de Lucía. Entre dos aguas.
Mi tonto hermoso. Ele era mi tonto hermoso. No era "mi".
Pero era tonto. Tan tonto. Y hermoso. Tan hermoso.
   Tudo fruto de vinho barato. Saíamos pouco, ele era complicado. Saímos barato. Eu era fácil.
   Acorde hesitante. Toca, Paco. Vinho barato. Mi tonto hermoso.
   Era como aquele conto do Gabo, El ahogado más hermoso del mundo. No tenía la culpa de ser tan grande ni tan pesado ni tan hermoso. Sí, tenía la culpa, Gabo. Anda, Paco, toca! Vinho barato.
   Como lo sabía. Como lo sabía. Se agora era el ahogado más hermoso del mundo, não mais el hombre, tenía sí la culpa, Gabo. Tão inocente no mundo, Gabo. Tão ingênuo. Um hombre tan grande y tan pesado y tan hermoso, se se ahoga, tem sí la culpa, Gabo. No sea tan ingênuo.
   Como lo sabía. Ela era ingênua. Ela era ingênua e antiga, Paco. Branca, tão branca! Sus ojos no teníam la misma color. Eram marrons e desconfiados. Ela era ingênua, Gabo. Carente, solitária, antiga... Amiga. Ela era, Paco. Ela era. Quando fomos à praia e velhas vagas de mares passados trouxeram à tona el cuerpo de mi ahogado, ela ofereceu-se e embalsamaríamo-no. Era lo que hacía ella, Gabo. Ofrecíase. Ingênua do tamanho do mundo. Arrastamo-no pela areia. Já estava morto, jazia morto já em mares passados. Era porém el ahogado más hermoso del mundo.
   Atreveu-se a amá-lo, Paco. Mi ahogado. Mi tonto hermoso.
   Ataviou-o como nenhum outro corpo jamais antes. Deitou-lhe suas essências ingênuas, suas mortalhas suaves,

suas coroas charmosas. Morreu-lhe nos cachos negros. Enlaçou as mãos espumosas sobre sua cabeça. Enlaçou la cabeza de mi tonto nas escumas de sus brancas manos, Paco.

Não demorou muito, Gabo. Mi Esteban ya no más. Agarrou-se a ele com tal sede, Gabo. Tal sede, Paco. Nunca um morto tão amado, Paco. Yo podría verlo, Gabo, verlo ante mis ojos. Ela o amava, Paco, derramava-se aos olhos fechados e inchados de mi cuerpo, de mi tonto, mi ahogado, Paco! — se derramava diante dele sem pudor de ingenuidade. Porque era ingênua, Gabo, ai!, era. No tenía la culpa. Culpa ninguna. Nadie tenía la culpa. Ni el mundo ni el mar ni yo ni ella — nadie tenía la culpa. Ni el ahogado más hermoso del mundo tenía la culpa.

O amor um fado. Uma rumba a que éramos fadados. Entre dos aguas, Paco.

E eu sobre os promontórios. De longe, Gabo, eu vi. Perdi os rumos como os navios que sentiam no ar os cheiros da aldeia del ahogado. Como os pés cegos nas profundidades dos corais passados de onde viera o corpo, Gabo, vacilei.

Só vinho barato e a rumba, Gabo, a rumba de Paco.

Entre dos aguas dei cabo da vida do morto e da chica, Gabo. Niñata de mierda. Ah, o vinho. Toca a tua rumba, Paco, que morro.

Matei um morto e uma moça, Paco, ah! como lo sabía. Odiava seus olhos, Gabo, Paco, os olhos da moça eram olhos carentes, solitários, quentes de traição, mi tonto, Gabo! Ah! O vinho, o vinho, a rumba! Niñata de mierda.

O sangue quente, Paco. Foi a tua rumba, homem. La rumba tenía la culpa. Os nombres dos dois mortos entre dos aguas. El ahogado no es el más hermoso del mundo no más. La chica murió también. Yo maté ambos con estas manos, Gabo. Eu odiava seus olhos, ojos marrons de traição.

Foi ao som de Paco de Lucía, entre dos aguas, que matei un ahogado. E la mujer de su morte também.

Ah! Vinho barato. Mi tonto hermoso. No mi, pero tonto. E hermoso. Tan hermoso.

Eu era fácil.

E un ahogado que devolveram ao mar murió duas vezes. Todas las muertes que merecía él desde que, en vida, lo amaba yo.

(Ah! Vinho barato.)

J. Fiúza, *vinte e poucos, vem de Fortaleza e vai a lugar nenhum. No caminho, estuda Letras, ensina inglês, escreveu seu primeiro romance e já ganhou alguns concursos (como o que originou esta coletânea).*

AQUELE PESO EM MIM, MEU CORAÇÃO

DANIELLE SOUSA

O papo da vez era que o mundo ia acabar no ano 2000. Na virada do dia 31 de dezembro de 1999 para o dia 1º de janeiro de 2000 as pessoas esperavam algum tipo de Cavaleiro do Apocalipse ou trombeta rasgando o céu. Tinha também esse tal *bug* do milênio do qual os jornalistas falavam aflitos. O *bug* seria uma perigosa defasagem nos incrivelmente avançados sistemas de informática que não reconheciam o número 2 do ano 2000, o que faria todos os computadores viverem em um fictício 1900, o que parecia ser um problemão. Mas na cabeça do Henrique só havia espaço para o pensamento de que se mundo acabasse era muito bem-feito. Esperava, sozinho, sentado no meio-fio em frente a sua casa o costume de jogarem fogos de artifício no céu. Era 24 de dezembro de 1999. Sete dias para o fim do mundo e contando.

Sua roupa ainda cheirava a queimado. À tarde, naquele mesmo dia, tinha feito uma fogueira no quintal: fogo consumindo duas caixas de sapatos em que guardavam cartões feitos à mão há mais de 10 anos. Cartões que ele mesmo fizera durante sua infância melequenta. Olhando para o céu, sentado na sarjeta, lembrou da cara de desespero de sua mãe. Lembrou de sua avó dizer que sempre soube que ele cresceria como aquele lá.

A fogueira aconteceu depois que sua mãe veio com uma conversa de que o Armando estava preso. Seu pai está em uma prisão, disse. E Henrique escutava aquilo sentindo seu sangue rumar por uma viagem vertiginosa até os pés:

— Mas ele matou alguém?

— Não.

— O que, então?

— Estelionato. Ele tinha essa habilidade de... mentir.

A casa do Henrique é a última da rua e a única sem enfeites de Natal. Se um dia tivesse sua própria casa, com filhos, esposa e essas baboseiras, colocaria pisca-pisca até na privada. Sua casa explodiria de tanto argônio e tungstênio acumulados. Fios saindo por trás dos móveis e se concentrando em um imenso pinheiro de plástico que ficaria no meio da sala, atrapalhando a passagem das crianças e a visão dos daltônicos.

A casa do Henrique é a única sem enfeites de Natal, acanhada lá atrás. Os fogos explodiam alto, abafando a risada dos vizinhos.

— Por que esperar tanto para me contar isso, mãe?

Então ela disse que ele havia recebido condicional e que, por isso, voltaria para casa.

Talvez o *bug* do milênio não fosse a dificuldade desses computadores de merda não registrarem o número 2. Talvez o *bug* fosse ele não conseguir registar essa volta.

— Voltar assim, do nada?

Seria melhor ter um pai morto. Ter um pai morto o eximiria da culpa de ter deixado um filho órfão e aí Henrique poderia sentir uma saudade real. Sem ressentimentos, sem mentiras. Iria orgulhoso visitar o cemitério, arrancar as ervas daninhas com as mãos e ler, de joelhos enterrados na grama, os cartões que escreveu quando ainda era uma criança boboca que pensava que seu pai era um explorador do mundo. Os cartões registravam seu dia na escola, na rua, ou apenas a saudade que sentia para, depois, serem guardados em caixas de sapato[1]. Era melhor guardar tudo e esperar ele voltar.

---

1. Henrique tinha essa lembrança de escrever cartas e cartões para seu pai. Sua mãe até o encorajava, mas na hora de enviar, ela dizia: "Ah, mas ele está distante. Ah, mas pode se perder no meio do caminho. Seu pai é um explorador do mundo. Não para quieto. Agora deve estar navegando em algum oceano, desbravando alguma cidade fantasma ou vencendo alguma montanha". E a conversa morria. Com o passar do

AQUELE PESO EM MIM, MEU CORAÇÃO

A mãe do Henrique não soube explicar por que demorara mais de dez anos para dizer que o motivo do desaparecimento do seu pai era a prisão, aquela, a alguns quilômetros de distância. Mas ele sabia os motivos. Sabia mesmo.

— Não precisa inventar essas conversas, mãe. Não tenho mais sete anos.

Então era isso: a qualquer momento poderia ver aquele rosto desconhecido entrar na sua casa sem enfeites, a camisa de botão aberta na altura do peito, cabelo penteado para trás e com cheiro de cigarro, umas tatuagens de gangue no braço. Ninguém fica preso todos esses anos por causa de estelionato.

Talvez, para demonstrar afeto, seu pai semidesconhecido tentaria lhe ensinar uns truques de baralho ou as principais regras da Arte de Roubar Carteiras de Bolsos Desconhecidos.

"Mira telescópica para os CPFs, hein, filhão!"

Lá no céu os fogos não paravam de explodir, deixando um rastro de fumaça feio e contorcido por cima das casas. Era madrugada de um 25 de dezembro de calor insuportável. Seis dias para o fim do mundo e contando. Estava decidido, se ele voltasse, Henrique sairia de casa.

Sua mãe esfregava o chão, passava alvejante nas roupas, lustrava as panelas e olhava o relógio com ansiedade. Ele voltaria em breve, e ela levava o lixo para fora.

Durante o ano Henrique tinha juntado um dinheiro porque sempre fazia um serviço ou outro: limpando carros,

---

tempo, Henrique não acreditava mais naquelas histórias de que seu pai era uma espécie de Marco Polo e tudo passou para um silêncio constrangedor quando ele perguntava o verdadeiro paradeiro do pai. Às vezes sua mãe chorava escondido. Às vezes ela brigava com sua avó. Todas as vezes, Henrique sentia que a vida seguia um rumo diferente daquele que sua pequena família seguia. Estavam tomando o caminho errado. Evidente que seu pai não desbravava o mundo, ele havia abandonado a família por algum motivo e sua mãe ainda acreditava, mesmo depois de tanto tempo, que ele ainda podia voltar. De vez em quando ela dizia que não tinha dinheiro e nem metade do mês era. Mandava dinheiro para ele na esperança de que tudo voltasse ao normal até que ele desaparecia de novo. Henrique não sabia por que ainda mantinha os cartões debaixo da cama.

ajeitando o telhado de quem precisasse, varrendo o quintal de velhinhos com muitos gatos e cachorros. Mas o que tinha não daria para sustentá-lo nem um mês. Devolveu as notas amassadas para a gaveta e se jogou na cama. Olhos fixos no teto. Já havia arrumado uma trouxa de roupa que escondeu num canto do quarto. Já tinha pegado o mapa do estado e o riscado com prováveis rotas: vários xis e traços em hidrocor sobre as linhas das rodovias. Talvez se pegasse a aposentadoria da avó, já que ela não gastava mesmo (nem para ajudar), a coisa mudasse de figura. O dinheiro dela ficava enroladinho naquele relicário da penteadeira, debaixo das fuças de todo o mundo, como um deboche.

E na casa só o barulho do esfregão indo e voltando: sala, cozinha, varanda, sala de novo. Sua mãe batia na porta "Já arrumou o quarto?" (sua voz parecendo mais alta que de costume). Sua mãe não entendia. Não entendia nada com aquele coque torto na cabeça, aqueles olhos cansados. Aquela eterna expressão de boca entreaberta numa frase estacionada.

Dia 27 de dezembro. Quatro dias para Deus lamber todo mundo com fogo, e contando. A tevê ligada sem que ninguém assistisse. Henrique preferia ler, afundado no sofá. Aproveitava que sua mãe e avó tinham ido ao supermercado, ido para a guerra, prontas para enfrentar a selva de compras para a ceia de ano Ano-Novo. Ele disse:

— Não vai ter ceia de Ano-Novo.

Disse:

— O mundo vai acabar antes que vocês desossem o maldito chester.

Disse:

— O mundo vai se acabar no meio de muito fogo e computadores com *bug*.

No bolso da calça sentiu o bloquinho de anotações: horários de ônibus, prováveis gastos, alternativas de ganhar dinheiro e, na última folha, um rascunho de carta que tinha deixado para depois. Ninguém fica preso tanto tempo por assinar um 171. Sempre tinha rolado umas histórias sobre seu pai na vizinhança, mas Henrique fingia não entender (ele entendia). Não queria fugir de verdade. Se pudesse ficaria. Mas esse homem no porta-retratos a dois passos do sofá, numa foto amarelada, podia ser qualquer um. Esse homem que deixou essa sensação de vazio que Henrique já não sabia viver sem. Essa sensação de ser leve-leve como se alguém tivesse arrancado suas tripas, tivesse feito um buraco no meio do seu corpo. Esse homem que preferia contar que estava preso do que a verdade: tinha abandonado a família e agora queria voltar.

Na porta, alguém batia. Batida repetida daquelas que não desiste fácil, a sombra insistente pela fresta, balançando devagar um vestido florido.

Aline[2] disse oi. Disse:

— Você tá sozinho?

— Tô.

O sol de meio de tarde batia bem onde ela estava, o que transformava seu rosto, porque Aline falava séria, mas fazia uma careta de incômodo que não deixava de ser engraçada.

— Amanhã vai ter lá em casa um jantar. Uma comemoração com amigos porque não vamos estar aqui no dia 31. Quer ir?

— Ir?

— É. Amanhã.

Henrique se retorceu. Nunca tinha sido convidado para coisa alguma. Quer dizer, os meninos sempre marcavam

---

2. No pátio da escola, Aline com uma trança que escorregava pelos ombros, de um lado só. Aline falava umas coisas que ele não entendia, ela parecia ser mesmo inteligente. Há dias eles se encontravam ali depois das aulas e ele nem sabia como isso tinha acontecido. Foi acontecendo e ele foi gostando. Ninguém fazia ideia que os dois ficavam ali, jogando conversa fora. Ninguém nunca poderia adivinhar. Nem mesmo que faziam o caminho de volta para casa juntos e que, no meio de tudo isso, davam um beijo demorado e molhado, na esquina, sem medo.

de assistir filmes pornôs no cineminha decadente lá no centro da cidade, mas isso não era evento.
— Se não quiser ir, entendo.
28 de dezembro. Três dias para o fim do mundo. Naquela noite tinha tomado banho e usado um pouco de perfume. Colocou seus tênis sujos de sempre, a calça jeans de todas as ocasiões e uma blusa mais ou menos limpa. Não ia passar muito tempo por lá, mesmo. Na verdade, nem entendia o porquê de ter aceitado aquele convite. Se sentia meio... idiota.

Enquanto descia a rua, sob os olhares atentos do cachorro do seu Virgílio (um pitbull que balançava o rabo de alegria quando o via passar), Henrique ensaiava o que diria quando chegasse lá. Aline tinha uma família (mãe, pai e irmãos) e uma casa bonita. Enquanto ele era o cara esquisito que morava na casa sem enfeites do fim da rua, era filho do bêbado que tinha abandonado a família e agora dava uma de arrependido. O líder dos vagabundos da escola.

A casa de Aline era um sobrado. Varandas no andar de cima, janelões com cortina branquinha. Muro de pedra, jardim. Henrique parou. Dali podia ver todas as luzes da casa acesas, o que dava a impressão de que o sobrado alçaria voo levitando no meio da escuridão do bairro, lançando mil pedaços de espírito natalino pelas janelas afora.

Se se concentrasse poderia ouvir a festa: música e gente feliz. Vestidos varrendo o chão e bebês com lacinhos na cabeça. Peru recheado no meio da mesa disputando espaço com a louça novinha que só esperava. Taças batendo uma nas outras e um pinheiro de verdade. Podia até ouvir o pisca-pisca das luzinhas coloridas. Vermelho-branco. Vermelho-branco. Talvez tivesse sido convidado por pena. A história do pai cirrótico devia ter tomado os ouvidos dos vizinhos e o convite tinha sido uma boa ação de fim de ano. Tentativa de ganhar uns pontinhos com o Todo-Poderoso. Não era esse o costume idiota dos ricos?

Henrique não esperou mais. Rodou nos calcanhares e fez o caminho de volta.

Diante das roupas dobradas, do mapa riscado e das listas do que fazer e do que não fazer, Henrique refletia. Lá fora, sua mãe e avó lavavam a louça da ceia. Era 31 de dezembro de 1999. Menos de um dia para o fim do mundo, e contando.

Henrique sentia uma raiva acumulada, uma vontade de que tudo silenciasse e ele pudesse sair daquela casa e esquecer esses dezessete anos de ceias de Ano-Novo feitas às oito da noite. O mundo ia acabar dali a algumas horas, diziam, mas para ele não fazia muita diferença. Henrique já achava que o mundo era meio morto mesmo. Quebrado em pequenos pedaços que nunca mais iam se juntar. Pedaços pintados de giz de cera que tinham virado fumaça lá no quintal. Tentava a todo custo terminar aquela carta de despedida: "Mãe, desculpa. Mas não tem um jeito de consertar as coisas a não ser esse..."

Ele estalava os dedos para espantar o nervosismo. O ônibus sairia no início da manhã e ele sentia mãos invisíveis fazerem de seu coração algo pequeno e cheio de nós.

"Mãe, desculpa. A vó tinha razão. Presto pouco, tanto para você, quanto para o mundo."

"Mãe, desculpa. Mas aceitá-lo de volta é como se fosse possível esquecer. Não é."

Mas o sol forçou a janela do quarto e Henrique calculou que adormecera por cima de seus planos de fuga e cartas de despedida e que o dia já ia perto das cinco da manhã.

Amarrou os cadarços e recontou o dinheiro. Se apressasse a saída e esquecesse as cartas, ainda daria tempo. Já no corredor, revirou o cinzeiro e encontrou as chaves de casa.

O sol também forçava as janelas da sala e ele viu sua mãe, sentada diante da tevê desligada. Parecia uma pintura impressionista, porque a penumbra da casa apagava sua silhueta. Sua mãe parecia não ter dormido e, em uma das mãos, segurava um papel comprido rabiscado em letra miúda. Ela parecia seca e cansada. Parecia envelhecida mil anos e olhou para o Henrique. Chorava uma tristeza profunda porque, por mais que os ombros balançassem com força, nada saía de sua boca, como se um grito tivesse morrido antes de nascer. Era manhã do dia 1º de janeiro de 2000 e tudo não passava de um não tempo cheio de eternidade entre as brechas.

Henrique largou a bolsa e pegou a folha que sua mãe segurava. Passou os olhos tão depressa que só conseguiu entender frases soltas. Sofia, é tudo muito difícil Esses anos mudaram algo em mim e não sei Acho que é melhor para todos porque A nossa história não foi Não vou voltar Ele cresceu demais não acho que vá Guardei aquela foto de nós três, lembra? Talvez ele não queira Não me procure mais Tinham razão sobre mim.

Era manhã do dia 1º de janeiro de 2000 e lá fora nenhum sinal de labaredas de fogo, trombetas rasgando o céu ou computadores com 666 na tela. O ônibus já devia estar saindo da rodoviária, mas Henrique não se importou. Encaixou sua mãe nos braços e disse:

— Acho que estavam errados sobre o fim do mundo, afinal.

Danielle Sousa *nasceu em 1985. Historiadora, professora e mediadora do Leia Mulheres-Natal.*

UM VULTO

RENATA OLIVEIRA

UM VULTO

Todo fim de outono, começo de inverno, era a mesma história... Nas noites mais frias e nevoentas, aquele vulto, cuja silhueta rota antecipava o mau cheiro, armava seu dormitório debaixo da marquise, sempre em frente à minha janela, como se fosse uma provocação.

Bem alimentada, aquecida e limpa, tomando chá de camomila, eu o observava. À princípio com pena, compadecida, como se ainda fosse a mesma boa menina, humilde bolsista de escola católica, aspirante a freira (e a santa). Um gole de chá depois, já recriminava a piedade artificial que me acometia e da qual, a tanto custo, passara anos tentando me livrar na análise.

Somente após transitar por essas disposições de espírito, tornava-me capaz de raciocinar sinceramente: O que levava uma pessoa a viver daquele jeito? Como havia chegado a esse ponto?! Deve ter tido uma família. Certamente, foi criança um dia, se não desejada, ao menos cuidada até chegar à atual estatura. Com certeza teve uma história, uma trajetória que a trouxe até aqui — provavelmente, tão bizarra e absurda quanto banal. E me ocorria que estar fora do sistema deve ser de uma liberdade vertiginosa, coisa que, só de pensar, já me dava uma aflição.

Em seguida, achava engraçado pensar naquela figura como uma pessoa, logo essa ideia tão demodé. Porque, no fim das contas, o que é uma pessoa? É alguém com um nome, uma face, uma existência... Não uma sombra que a maioria das pessoas de verdade prefere fazer de conta que não está ali, um fantasma.

Recuperada dessa questão filosófica, continuava minha observação, procurando perceber todos os meus sentimentos (segundo a indicação da psicóloga) e tomando nota mental de todos os desinteressados movimentos do vulto.

O rito era sempre o mesmo. Algumas horas depois do comércio fechar, chegava com seu grande saco de náilon (que infinito mistério, para mim, era imaginar o que havia lá dentro!), pousava-o no canto mais enxuto da calçada e, ao lado, desenrolava e estendia um colchão puído que, de tão fino, mais parecia um lençol. Olhava ao redor, como alguém que confere todas as portas e janelas da casa antes de deitar, deitava tranquilamente e dormia. Dormia sem precisar de nenhum tipo de droga, barbitúricos, entorpecentes... Que inveja eu sentia daquele sono!

No dia seguinte, levantava-se antes da cidade despertar, recolhia seus pertences e dirigia-se ao terreno baldio dois lotes abaixo para dar uma abundante e demorada cagada — e que inveja daquela cagada ao ar livre, sem pudor! Limpava-se ou não com o que encontrasse ao alcance da mão e ganhava o mundo. Desaparecia. Para retornar, inexoravelmente, ao fim do expediente comercial.

Que passaria o dia fazendo? Seria um doente mental, um penitente, uma vítima de golpe? Andava, mendigava, roubava, comia? Trabalhava?! Não. Não poderia trabalhar... como trabalharia? E em quê? Eu me perguntava, num misto de incredulidade e despeito.

Quantas interrogações envolviam aquele vulto! Nem se era homem, mulher ou outra coisa dava para saber. E, ainda assim, todas as noites de outono e inverno, ao tomar meu sagrado chá de camomila na esperança de um sono constante, eu olhava aquela criatura, imaginava sua vida e a curiosidade me roía a medula. Sentia pena, nojo, compaixão, perplexidade, indignação, inveja. Sentia tantas coisas diferentes e até contraditórias que parei de seguir a indicação da minha terapeuta. Parei de me perceber.

Quando dei por mim, aguardava ansiosa o vulto de todas as noites, dedicando-lhe uma atenção egoísta, quase obsessiva. Não havia noite chuvosa em que não quisesse descer três andares e atravessar a avenida esquisita para levar-lhe um cobertor bem grosso e a sopa quente que restara do jantar. Por medo, comodidade, preguiça ou, simplesmente, porque sempre fui fraca de vontade, nunca fui além do querer.

Nunca reservei o resto de sopa numa vasilha velha demais para ser guardada, nem pus aquele cobertor numa sacola para dar-lhe destino mais útil que um embolorado fundo de guarda-roupas. Enfim, concluí que sempre é mais fácil ter boas intenções que praticá-las.

E ainda surpreendia-me, ao respirar aliviada de não sei que culpa, quando algum grupo de jovens ou de casais — católicos, evangélicos ou espíritas, em seus carros importados, cumprindo suas rondas noturnas à procura de pobres para ministrar-lhe sua fé e sua caridade — alimentava o vulto e proporcionava-lhe uma efêmera impressão de acolhimento, de pertencimento à humanidade, de que era gente. Para comer e se aquecer, quem mora na rua tem de, literalmente, orar. Esse é o preço de uma quentinha fria, um casaco usado ou uma coberta com nauseabundo cheiro de novo que os grupos de caridade cobram.

Anos passaram-se entre as estações, até que, no último outono, o vulto tornou-se apenas uma vaga lembrança. Eu preenchia seu futuro com improváveis reviravoltas: a aparição de algum familiar que lhe amparasse, fortunas inesperadas, um amor, um teto...

Mas, ao ligar a TV e assistir ao noticiário local, minhas previsões viraram o que, de fato, são: desejos de felicidade alheia para desencargo de consciência... Na tela, o âncora noticia: um autoproclamado justiceiro anda fazendo uma faxina social na cidade.

Renata Oliveira *é psicóloga, mestra em Literatura, professora, poeta, se atreve pela prosa de vez em quando e articula eventos culturais, tanto pelo Leia Mulheres (no qual é mediadora desde janeiro de 2016 em Campina Grande, Paraíba), como pelo Coletivo Sonoras de mulheres artistas.*

MARIPOSAS

VERENA CAVALCANTE

Quando conheci minha mãe ela tava chorando no sofá de flor azul da sala e meu pai colocou as duas mãos nos meus ombros e fiquei parada ali, olhando pra baixo e olhando pro alto porque tudo era tão diferente, importante, naquela casa com cheiro de bolo de milho e de galinha; um monte de rostos bravos nas paredes e toalhinhas bordadas nos móveis, debaixo do rádio, do conjunto de bule e xícara. Minha mãe chorava, tão grande nos tamancos, e batia no meu pai, mas eu só conseguia prestar atenção nas bolinhas coloridas dentro do pote de vidro na mesinha de centro; a luz batia e elas apareciam no teto, às vezes tão fortes, outras vezes só uma mancha, "tira a mão daí, sua peste", lembro da dor e do grito, e do xixi quente molhando os dedos do meu pé, pareciam cabeças de tartaruga, mas não de quando meu pai foi embora. Às vezes ele voltava e quando eu o via não ficava só de braço pra trás, procurando filhotinho de barata no chão, ou mordendo as pelinhas da mão, ou comendo o cabelo, as melecas do nariz; eu corria para abraçar ele, e ele me pegava no colo sem nem ligar que eu estava de fraldas, porque naquela época eu ainda não sabia controlar a hora, subia nos tijolos empilhados para esfregar sozinha no tanque o meu vestido; e ele enrolava o dedo no meu cabelo e falava coisas bonitas. Eu sei que era assim porque a voz era baixinha e os olhos fechavam um pouco, o cheiro da boca bem forte no meu ouvido, queimando meus olhos, e a mão suja de graxa preta que nem o carvão lá fora sempre fazendo carinho na minha bochecha, na minha perna.

 Eu lembro de quando vi minha mãe, mas eu não me lembro de quando vi minha irmã; quando eu percebi ela já estava lá, bem gordinha e de cabelo comprido, parecendo uma lagartinha, e eu fiquei muito feliz de ter uma irmã e daquele monte de brinquedo que ela ganhava da mãe e da avó e de uns moços que vinham visitar de vez em quando, mas eu não conversava porque eu sabia que não podia olhar pra cima, era proibido, só para as minhas unhas mesmo — elas eram brancas, às vezes cor de abóbora quando eu brincava na terra do quintal — e eu chegava perto dela e a gente brincava às vezes, no começo, quando ela ainda era menor que eu, e eu conseguia colocar no meu colo e pentear, mas um dia ela cresceu e quando eu chegava ela fingia que não me via parada perto da cama dela, ou atrás da porta, ou sentada no tapete, com a cabeça olhando os pontos dourados que voavam pelo ar toda vez que ela batia nos meus ombros, no meu peito, nas minhas costas, com as mãos abertas. Então ela me empurrava para fora e eu me sentava na frente da porta fechada, contando as formiguinhas que subiam na parede e entravam no buraquinho do batente; eu atrapalhava o caminho e elas subiam na minha perna, pela minha saia, e eu ria da cosquinha, ria cada vez mais alto, gritava, até minha avó vir com o cinto. Foi quando eu tive a ideia de colecionar os bichos. Peguei uma caixa velha de sapatos, que não tinha material de costurar e nem fotos dentro, e ia pro quintal procurar os tatus-bola na terra, os besouros verdes no mato, as aranhinhas-marrons na bananeira, as mosquinhas na jabuticabeira, e as libélulas que nadavam perto do açude; eu pegava com cuidado e segurava na mão, bem quietinha, às vezes o dia inteiro, entrava dentro do armário e ficava cantando pelo buraquinho da mão, até o meu bichinho ficar bem paradinho, entender que era pro bem dele, e ir sozinho pra caixa de sapatos. À noite eu abria a tampa, deitava no colchãozinho de novo, e eles vinham dormir em cima de mim; os vagalumes eram um abajur verde mais bonito e mais brilhante que o da minha irmã, as mariposas pousavam nos meus olhos pra eles ficarem bem fechadinhos, e as aranhas peludas que achei no monte de lenha no terreno baldio da esquina me esquentavam quando minha mãe esquecia do cobertor. Um dia eu aprendi que com as batatas estragadas que a mãe e a avó jogavam fora dava pra fazer uns brinquedos se a gente espetasse uns pauzinhos, aí eu sentava debaixo da mangueira e fazia minha fazendinha com as vaquinhas de batata, os porquinhos de batata, os cavalinhos de batata, mas as galinhas eram de verdade e ficavam ciscando em volta, cada uma mais bonita que a outra, o cheiro gostoso de pena e de titica, o olhinho delas sempre abertinho, um prato redondo e azul, parecido com os olhos da minha mãe, do meu pai e da minha irmã. Naquele dia, minha irmã subiu na mangueira e ficou cuspindo lá de cima, eu senti a baba quente escorrendo pela minha cara, mas não liguei, o sol tava quente, e tinha minhocas no buraco que eu cavava para enterrar as batatas pra ver se elas brotavam. Quando ela desceu e pisou na minha mão eu vi que uma amiga dela tinha chegado, e gritei, bati palmas, o cabelo de ouro da menina brilhava no sol, eu queria colocar a mão porque parecia igual ao da boneca que minha irmã deixava sentada em cima do travesseiro e eu não podia mexer, "eu corto sua mão"; a menina correu de mim, "eu não gosto de você", eu quis que ela parasse de chorar e tentei dar um beijo nela, escorreu baba da minha boca, "para, retardada", minha irmã me empurrou e eu caí em cima das mangas podres debaixo da árvore; elas riram e jogaram os bichinhos de batata em mim. Fiquei lá chorando, uma poça debaixo da saia, quando uma das minhas mariposas voou de dentro da casa e pousou debaixo do meu olho, bebendo água nas minhas lágrimas, "sua louca, demente! você não sabe que pó de mariposa cega a gente? idiota, debiloide!", minha irmã riu, e tinha pegado uma pedra na mão quando o meu pai chegou, fazia tanto tempo que eu não via ele!, e bateu na cara dela com a mão aberta, dessa vez bem branca, que nem osso. Depois, mais tarde, quando eu tava guardando a mariposa na caixa, depois de ter dado um beijão bem grande nas asas peludinhas dela, meu pai chegou no quarto, sentou no chão, na minha cama, e me deu uma caixa bem grande, muito maior que a de sapatos; ele me ajudou a abrir e lá dentro tava a boneca mais linda que eu já vi: o cabelo preto enroladinho que nem o meu, a boca vermelhinha, o vestido rosa de renda, o olhinho azulzinho. Beijei a bochecha gelada dela, depois a bochecha do meu pai, que estava quentinha, e abracei minha filhinha igual meu pai me abraçou no colo dele, só que eu não levantei a saia dela, só fiquei olhando no rostinho branco, com uma lágrima escorrendo, que minha mariposa não veio limpar.

Debaixo da pitangueira, na calçada, ou do lado do açude, onde as libélulas ficavam dançando pra lá e pra cá, a minha boneca brincava; as formiguinhas, entendendo que ela era minha filha, escalavam as pernas dela também, corriam sobre o chorinho na barriga e descansavam na curvinha dos olhos de vidro. As tardes eram quentes, molhadinhas, e as abelhas pousavam no meu suor, que parecia um melzinho salgado, transparente e ralo. Quando eu virava minha boneca de ponta-cabeça ela chorava muito e as mariposas aprenderam a aparecer só pra consolar. Era só abrir a caixa que elas vinham, de todas as cores, marrom, preto, branco, amarelo e cinza.

Um dia eu acordei sozinha, e achei que a boneca tivesse decidido caçar com os escorpiões, os besouros-chifrudos, pular com os grilos, mas minha irmã apareceu com ela, sentada no sofá da sala do lado da minha mãe. Fiquei feliz, ela estava abraçando minha filhinha, "aqui sua boneca, eu tava cuidando pra você", e ela sorriu e me entregou o corpinho. Levou um tempo para eu perceber, "agora ela tá igualzinha a você, tal mãe, tal filha", os olhos da boneca rabiscados de preto, a cara toda marrom de terra, a roupinha rasgada e encardida, o cabelo cortado curto e todo enozado, no alto da cabeça. Chorei até minha mãe me arrastar para fora, o milho já esperando, parte dele comido pelas galinhas; minha boneca sentava na mesa de centro, os olhos para dentro da cabeça, que minha irmã empurrara com o cabo da colher, dois buracos fundos olhando enquanto os bichos saíam do meu quarto, atendendo aos meus berros, aos cheiros do meu corpo, meu excremento, meu sangue; e os escorpiões picaram os pés calçados da minha irmã, os grilos se enrolaram nos seus cabelos, as aranhas peludas cobriram seus joelhos; mas eram as mariposas que faziam ela gritar, "vou ficar cega!", e as mãos dela cobriam os olhos, enquanto minha mãe esmagava todos meus bichos com a vassoura: as aranhas encolhidinhas de dor, dormiam nos cantos; os besouros, achatados, escorriam pela sala; as libélulas faleciam de barriga para cima; as lagartas nadavam numa poça verde. As mariposas passaram despercebidas, voaram para dentro da caixa de sapatos, fecharam as asas e os olhos no escuro.

Depois da surra, e da limpeza de todos meus bichos, fui deitar com a boneca, já era tarde. Por horas fiquei de olhos abertos no escuro, sentindo frio, a falta dos meus amigos. Quando as mariposas vieram até mim eu percebi que era hora. Olhei o fundo dos olhos de minha filhinha, e ofereci minhas duas palmas, para que elas pousassem; as pequenas embaixo, as grandes em cima. Cobrindo as palmas, cantei pra elas ficarem calminhas, e esfreguei as mãos, palma com palma, o pó caindo dentro da caixa, brilhante como prata, bonito como joia, algumas partes ainda mexendo com vida. Segurando a caixa, entrei no quarto de minha irmã e fui até sua cama, onde ela dormia, quase sorrindo no sono. Apanhei punhados de pó com as mãos, resto das minhas mariposas, e os esfreguei nas pálpebras translúcidas, de veias roxas; o que sobrou enfiei sob os cílios, abri um pouco, assoprei dentro.

Então fiquei esperando ela acordar, sentada na beiradinha da cama, com as agulhas de costura da mãe do lado, só para garantir.

Verena Cavalcante *reside em Limeira, interior de São Paulo, e é formada em Letras pela PUC-Campinas. Tem duas obras publicadas, Larva (2015, Editora Oito e Meio) e O Berro do Bode (Editora Penalux, 2018). É mediadora do projeto Leia Mulheres - Limeira.*

O QUE ACONTECE EM UM JARDIM NA MADRUGADA

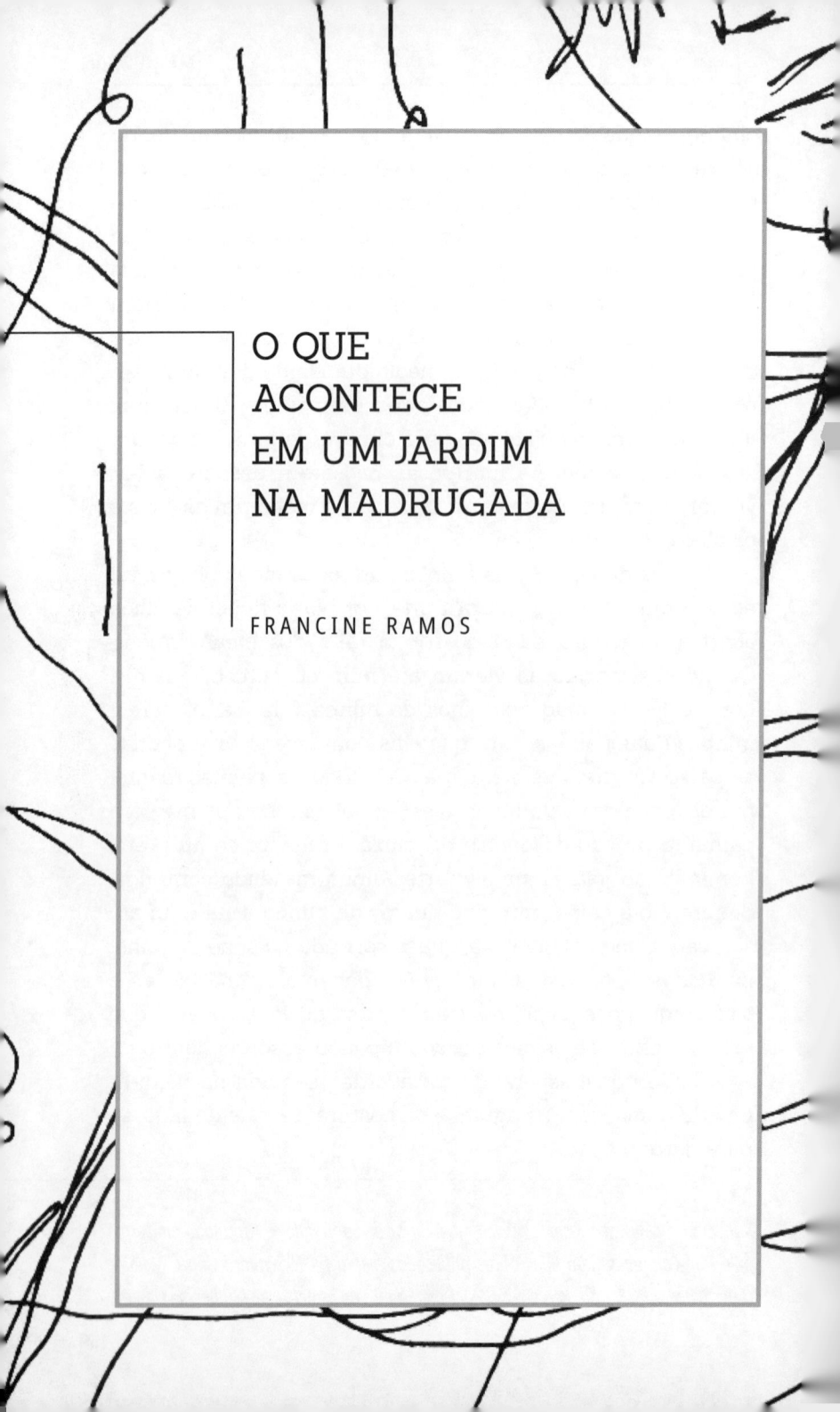

FRANCINE RAMOS

O QUE ACONTECE EM UM JARDIM NA MADRUGADA

"Assim um casal depois do outro passava pelo canteiro de flores, com muito da mesma movimentação irregular e sem objetivo, e era envolvido em camada de vapor verde-azulado, no qual a princípio seus corpos tinham substância e um pouco de cor, embora cor e substância se dissolvessem mais tarde na atmosfera verde-azulada."
(Virginia Woolf)

O quarto era o único ambiente da casa que recebia a luz do sol pela manhã. Sentada na poltrona azul, seu rosto ficava marcado por cores suaves e diferentes, um efeito bonito causado pela cortina amarelada que, entreaberta, balançava docemente.

Joana, sem se dar conta dos desenhos construídos da luz em si mesma, mantinha o olhar fixo na própria mão, cheia de sangue. Um sangue seco e escuro, com um cheiro adocicado que parecia ter invadido o seu apartamento inteiro.

Maria, deitada no chão frio da cozinha, segurava uma bolsa de gelo sobre o rosto, igualmente coberto de sangue. Ela não queria sair de lá até que recebesse o que ela mesma chamava de sinal do universo. Para os amigos, imaginava sua resposta, calma e tranquila. Foi apenas um acidente.

Tudo estava tão bem entre as duas amigas de infância que se reencontraram por acaso, semanas antes, no Louvre, em Paris. Sobre isso concentrava-se o pensamento de Joana, intercalado com imagens desconexas da noite anterior. A carne vermelha sendo cortada com tanta delicadeza por

Maria. Os socos. A música no disco de vinil abafada pelo som da panela de pressão, uma noite estrelada vista da pequena janela, alguns livros de viagem jogados no sofá. A risada de Maria, a emoção e o desejo — quase constante, de chorar, era o que Joana sentia enquanto dizia para a amiga que esse negócio de destino é bobagem. Maria, porém, tão viciada no lado místico da vida, acreditava que o universo havia colocado as duas amigas juntas mais uma vez. A primeira vez que prepararam um jantar tinha sido há mais de quinze anos, quando mal sabiam que cebola fazia chorar.

Assim que o relógio marcou vinte e duas horas, Maria avisou Joana que era o momento de desligar o fogo da panela de pressão. Joana não questionou, fez tudo conforme as instruções da amiga, pois sua verdadeira preocupação era abrir uma garrafa de vinho e trocar o disco por alguma coisa mais animada. Ouvir The Smiths em uma noite de reencontro e lembranças não é uma boa ideia, pensava Joana agora, sentada na poltrona azul.

Entre uma risada e uma garfada na suculenta carne com molho de mostarda, as duas amigas percebiam, em silêncio, o quanto era especial aquele momento. De alguma forma, mesmo aquele ato simples de cortar o alimento, sorrir e dizer alguma bobagem para rir até a barriga doer era o melhor jeito de fortalecer a cumplicidade que as unia. Joana e Maria não se esqueciam das tantas coisas que tinham feito juntas naquela mesma cidade, há tanto tempo.

Quando o jantar terminou, as amigas decidiram ir para o Jardim Imperial, o espaço público mais antigo da cidade, construído por um barão do café no final do século XIX. Eram apenas dois quilômetros a serem vencidos para desfrutarem de um espaço cheio de árvores centenárias, flores de todas as cores, bancos de madeira e belos caminhos de terra, cercados por diversos tipos de plantas.

Morar em uma cidade pequena tem suas vantagens, falou Joana para Maria, que preferia ter uma vida quase nômade, pois morava alguns meses em São Paulo com um amigo, outros meses em Belo Horizonte com a avó e, sempre que possível, alugava um apartamento em Paris. Desse jeito a sua vida, segundo ela mesma, permitia que o universo mandasse sempre boas surpresas, muito diferente de Joana, que nunca mudara de cidade, adorava o clima interiorano e o trabalho fixo em uma agência de empregos, que permitia algumas viagens esporádicas, como a desse ano, que fez as duas amigas de infância se reencontrarem na Cidade Luz.

Durante o caminho, as duas amigas conversaram pouco, pois estavam admirando a cidade e também pensando em suas vidas. Joana queria ter uma vida mais aventureira, como a de sua amiga. Maria pensava que poderia ser interessante ter uma moradia fixa e uma vida mais pacata, como a de Joana. Desta forma, quem visse as duas amigas caminhando pela cidade não imaginaria que uma gostaria de ser a outra, pois as duas possuíam um andar decidido e forte, como se fossem invencíveis e orgulhosas das próprias vidas.

Quando chegaram na entrada do jardim, até para Joana que todos os dias passava por ali, foi bonito de ver o portão de ferro preto e com detalhes dourados. Diante de tanta imponência, porém, as duas começaram a rir, pois tinham esquecido que o jardim não era aberto ao público durante a noite. Mas, como manda a regra dos reencontros de amigas de infância, é preciso recordar o passado na prática, portanto, em poucos minutos, as duas amigas estavam do outro lado, com uma simples escalada, como faziam quando eram crianças.

Sentadas, por fim, em um dos tantos bancos de madeira, rindo, falando alto e contando histórias de suas vidas adultas, elas não perceberam quando o homem se aproximou, porque naquele momento a vida era somente o próprio momento, como se não fizesse diferença estar naquele lindo jardim ou no sofá de uma sala qualquer. Não havia a Joana apegada à sua cidade natal; não havia a Maria aventureira.

O encontro que ocorria naquele momento não era sobre afazeres da vida adulta, era sobre um tipo de reconhecimento profundo, como saber que o que está ao seu lado é algo reconhecível, mesmo não sendo permanente.

    O homem tocou no ombro de Maria e perguntou se poderia também tomar um pouco do vinho. Assustadas, as amigas levantaram-se do banco de madeira para olhar melhor aquele desconhecido que aparecera tão de repente. Joana, desconfiada, queria ir embora. Maria achou que não havia problemas em deixar os últimos goles da garrafa para o homem.

    Ao entregar a garrafa, Maria sorriu e recebeu de volta um soco na cara. Joana, por impulso, tentou empurrar o homem, mas acabou caindo no chão. As duas, atordoadas, tiveram tempo de olhar uma para a outra, em sinal de cumplicidade. Assim, rapidamente, Maria chutou a perna do homem que cambaleou e derrubou a garrafa no chão de terra. Engatinhando, ralando os braços nos pequenos arbustos, Joana pegou a garrafa, levantou-se ainda meio zonza e acertou a cabeça do homem, que caiu no chão rindo e chamando-a de vagabunda.

    Maria, ainda no chão, preocupou-se com o homem, que parecia pequeno e fraco agora que estava deitado. Talvez os tantos casacos, a barba grande e ruiva, causasse certo impacto, como se ele fosse alguém tentando se esconder. Deitado no chão e quase inconsciente, porém, era apenas um homem comum.

    Joana, ainda irritada, pegou um pedaço da garrafa e acertou mais uma vez a cabeça do homem. Ficou em cima dele e começou a dar murros e cotoveladas em sua cara. Maria gritava, em vão, para que a amiga parasse. Mas Joana não queria parar, e no quinto golpe, com sangue jorrando para todos os lados, ela olhou para cima e contemplou o céu, que estava tão estrelado e limpo. Chegou a sorrir brevemente com o canto dos lábios.

O QUE ACONTECE EM UM JARDIM NA MADRUGADA

Maria tentou segurar o braço da amiga e foi empurrada. Joana, com os olhos vivos como os de um animal noturno, disse apenas que era preciso enterrar o corpo, enquanto se levantava e tentava limpar as mãos cheias de sangue na própria calça.

Assustada, angustiada e arrependida de ter aceitado o convite para jantar com sua amiga de infância, que agora se revelava uma assassina fria, Maria concordou com a cabeça, sem ter certeza do que estava fazendo, dominada pelo medo.

Deitada no chão da cozinha, Maria não conseguia calcular quanto tempo tinha passado cavando o buraco no jardim. Mesmo preocupada com a possibilidade de alguém aparecer, o tempo todo se mantivera fixa em seu trabalho diante do olhar forte e decidido de Joana.

Joana encontrou ferramentas de jardinagem enquanto caminhava pelo jardim. As flores e o cheiro da grama pareciam mais intensos à medida que respirava fundo. Ela se encantou com o chafariz e o pequeno lago que refletia a lua. Em sua cabeça, pensamentos soltos a respeito do que estava acontecendo eram mesclados com a sensação de que a vida, agora, tinha um novo valor e que ela usufruía de uma força muito além do normal. Sendo assim, deveria permanecer forte até terminar tudo. O que mais a incomodava era o choro de Maria que, ao seu lado, caminhava a passos lentos, como se fosse um zumbi arrastando as pernas e a cabeça vazia.

O corpo do homem foi levado para o canteiro das camélias, sem flores no verão. As duas começaram a cavar. Maria nunca havia feito aquilo antes, mas para Joana parecia algo rotineiro. Só falta começar a chover sapos, foi o que Maria pensou.

Sentada em sua poltrona azul, Joana decidiu que era o momento de resolver aquilo tudo de vez. Foi ao banheiro e lavou as mãos, tirando com dificuldade o sangue e a terra de suas unhas. O cabelo, escuro como a terra que cobriu o corpo do homem, estava embaraçado, opaco e sujo. A blusa, que era azul, cheia de manchas secas. Quando se olhou no espelho, apesar de seu rosto denunciar uma noite em claro, os olhos permaneciam vivos, como se olhassem dentro de si mesma. Ela estava feliz.

Maria decidiu mexer-se um pouco, pois ficar deitada naquele chão fazia suas costas doerem. Era estranho para ela gostar daquela dor, mas era um sinal de realidade. Tudo aquilo havia mesmo acontecido. Um homem a agrediu, elas passearam em um jardim lindo, ela comeu um delicioso prato com molho de mostarda. Como ela amava molho de mostarda! A amiga matou um homem, elas enterraram um corpo. Há muito tempo ela não bebia tantos vinhos bons.

Na cozinha, Joana deitou ao lado da amiga, perguntou o que ela gostaria de comer. Um pouco assustada, ao mesmo tempo em que se sentia satisfeita com o jantar de ontem, Maria não imaginou que sua voz fosse sair com tanta facilidade: bife à milanesa.

Francine Ramos é professora de Língua Portuguesa, editora da revista digital Livro & Café, Mediadora do Leia Mulheres Sorocaba e, agora, escritora.

A MULHER DE TRINTA ANOS

EDUARDA SAMPAIO

Era uma casa de classe média alta, localizada em um dos bairros residenciais mais tradicionais da cidade. Os primeiros raios de sol daquele dia frio iluminavam a fachada de tijolos vermelhos, entrando pelas enormes portas de vidro da sala, que, apesar de naquele exato momento estarem fechadas, abriam-se para um jardim extremamente bem cuidado. A grama verdíssima, as orquídeas simetricamente dispostas em uma parede coberta de musgo, os vasos de plantas estrategicamente posicionados, todos de diferentes tamanhos e cores, e o banco de maneira artesanalmente trabalhado revelavam, para um observador experiente, que por trás daquela beleza aparentemente displicente havia mãos de profissionais qualificados.

No banheiro da suíte principal, Alice, ainda esfregando preguiçosamente os olhos cheios de remela, inchados e vermelhos devido às muitas horas de sono, observou-se no espelho, às seis horas da manhã do dia dez de outubro, e descobriu que tinha envelhecido o que pareciam ser cinquenta anos em apenas uma noite.

Não deu muita importância àquilo. Tinha tomado algumas pílulas para dormir na noite anterior e seu corpo ainda estava lento e entorpecido. Provavelmente era um sonho, mais um de seus sonhos esquisitos e extremamente vívidos.

Usou o banheiro e tomou um banho. Fez questão de movimentar-se lentamente, apreciando seu estado letárgico. Apesar disso, tudo levou os precisos trinta minutos de todos os outros dias dos últimos anos de sua vida.

Era um banheiro sofisticado, de um estilo que invocava a sensação de se estar não em uma casa, mas em um hotel de luxo. A pia de aparência moderna apoiava-se sobre uma bancada de mármore branco, o espelho possuía pelo menos três tipos diferentes de iluminação e as toalhas, branquíssimas e felpudas, deixavam no ar uma leve fragrância de alecrim.

Às seis horas e trinta minutos, Alice voltou a olhar-se no espelho e constatou que já não havia margem para dúvida.

Uma senhora idosa, de aproximadamente oitenta anos de idade, a encarava de frente, com os olhos bem abertos e atentos, apesar de ainda avermelhados. Seus cabelos longos eram completamente brancos e muito ressecados. Os cachos avermelhados de Alice, pintados na semana anterior, tinham dado lugar a ondas irregulares e indefinidas. Os lábios eram finos e as bochechas caídas. Sulcos profundos delineavam-se ao redor de sua boca e de seus olhos.

Aproximou o rosto do espelho, pendendo o corpo levemente para a frente, e franziu a testa. A senhora imitou-a.

Levou então a mão ao nariz, o que foi repetido pela intrusa à sua frente.

Enrolada em seu roupão, também branco e felpudo, começou a rir. A princípio, riu silenciosamente, o olhar fixo na imagem refletida no espelho. Vendo que a senhora também sorria, acompanhando-a, começou a rir vigorosamente, curvando-se com as mãos apoiadas nas coxas. O riso foi tão intenso que começou a provocar dores em sua barriga e em suas costelas. Consciente de que seu marido ainda dormia, Alice tentou ser o mais silenciosa possível, mas, por fim, a gargalhada sonora ecoou pelo banheiro, chegando até o quarto.

— Do que você está rindo, Alice? — perguntou um homem bonito e alto de aproximadamente quarenta anos, já entrando no banheiro para usar o vaso sanitário.

Alice parou de rir imediatamente. Ela odiava quando ele fazia aquilo. Mesmo depois de todos aqueles anos de casamento, ele nunca tinha aprendido a respeitar a falta de disposição de Alice para compartilhar os fétidos momentos de saída de fluidos dos corpos humanos.

— Você não notou nada diferente em mim? — perguntou ela, transferindo o olhar da imagem no espelho para o homem ao seu lado, genuinamente curiosa para saber que resposta receberia.

— Humm... Não... Cortou o cabelo? — disse ele com uma voz monótona e desinteressada, olhando de relance para ela.

— Nossa, Alice... A gente não foi dormir cedo ontem? Nem parece... Com o sono que eu estou aqui...

Alice mirou-o com desprezo e caminhou em direção ao quarto a passos rápidos. Não ia olhar para trás. Não hoje.

Saindo do banheiro, ouviu a voz do marido:

— Vai fazer um café pra gente, vai! Aquele café novo que a gente ganhou na semana passada.

Vestiu um sutiã, gastando apenas alguns segundos para registrar o peso não familiar de seus seios flácidos e caídos, uma calcinha, um suéter cinza e uma calça preta. Foram as primeiras roupas que encontrou, jogadas em cima da escrivaninha. Com a ajuda de uma cadeira, alcançou a mala, já arrumada, na parte mais alta do guarda-roupa.

A carta que tinha escrito há tantos anos estava na gaveta do criado-mudo, dentro de uma bíblia velha e empoeirada que ninguém nunca abria. Procurou um envelope na escrivaninha e, de maneira descuidada, colocou a carta dentro do primeiro que encontrou. Sabia que não tinha muito tempo. O som da água do chuveiro caindo chegava até ela pela porta aberta do banheiro, mas os banhos dele não costumavam demorar tanto quanto os seus. De maneira apressada, guardou a carta na mala e saiu. Ele já era um adulto, então que providenciasse seu próprio café da manhã, pensou Alice com raiva.

Fez questão de deixar o celular em cima da mesa da cozinha, mas pegou sua bolsa e as chaves de casa, penduradas perto da porta de entrada. Assim que ele ligasse, o que não demoraria, perceberia que ela estava fora de seu alcance, mas pensaria que se tratava de uma desatenção de Alice, que certamente teria apenas saído para comprar algo na padaria da esquina. Para ele, nenhuma outra explicação seria aceitável ou compreensível. Depois de todos aqueles anos de convivência íntima, Alice tinha se acostumado, mas nunca plenamente aceitado, a estreiteza da mente de seu marido.

Ao pisar os pés fora de casa, sentiu um imediato alívio. Era como se um peso tivesse sido retirado de suas costas. Apesar do frio, respirou com facilidade, seus pulmões se expandindo, ocupando espaços dentro de sua caixa torácica que pareciam não estar disponíveis antes.

Sorriu ao sentir os raios de sol aquecendo suavemente sua pele. Olhou para cima, para o céu ainda cinzento, e sentiu vontade de chorar. Se pelo menos ele a pudesse ver como realmente era. Mas ele não podia. E aquele dia dez de outubro marcou o fim pelo qual ela tanto esperou.

Caminhou em direção ao metrô, que ficava a apenas duas quadras. A mala não estava pesada, mas sentiu um pouco de dor na mão que a segurava. Parou um instante para olhar seu reflexo no retrovisor de um carro estacionado na rua. E lá estava ela, a velha senhora, mirando de volta com os olhos vivos, mas de pálpebras flácidas. Sorriu carinhosamente para sua imagem refletida e continuou andando.

As ruas estavam vazias e o sol, ainda despontando no céu, tingia as casas de um tom azul rosado. Sabia exatamente para onde ia. Estava se preparando para aquele momento há anos.

A dor em sua mão intensificou-se e ela observou, enquanto andava, aquela parte que sem dúvida alguma era de seu corpo, mas que parecia pertencer ao corpo de outra pessoa. A pele dobrava-se, formando rugas. Havia manchas, algumas brancas e outras escuras, em toda a extensão de seu braço. A aliança estava frouxa em seu dedo anelar magro e ossudo.

Parou de andar, colocou a mala no chão, e deslizou cuidadosamente o anel através do dedo esquerdo. Ele certamente ficaria triste. Muito triste talvez. Choraria e se perguntaria onde tinha errado e o que poderia ter feito de diferente. Ela não tinha aquelas respostas. Nunca teve. Sempre que ele perguntava o que ela queria, para onde queria ir ou o que queria fazer, sentia seu peito se comprimir. Não sabia. Nunca soube. Só sabia que não queria aquele amor que grudava em seus pulmões como visco, pegajoso e insistente.

Pousou a aliança na palma da mão. Precisava de polimento, mas ainda assim o dourado reluzia. Parou e abriu a mala no meio da calçada, pescando o envelope com a carta. Colocou o anel dentro do envelope, junto com a carta, fechou-o cuidadosamente e guardou-o dentro da pequena bolsa marrom que levava a tiracolo.

Nunca devia ter concordado com aquele casamento. Ele era o tipo de homem que, ao mesmo tempo que a sufocava, era capaz de olhar diretamente para seu rosto envelhecido cinquenta anos e nem sequer notar. Ele demandava que ela estivesse sempre lá, em mente, em corpo e em espírito, mas nunca a enxergava.

O trajeto de metrô foi rápido e silencioso. Ainda não eram nem sete horas da manhã e poucas pessoas deslocavam-se tão cedo em um sábado. Alice saiu da estação, contudo, com a certeza de que Raquel não só estaria acordada como já estaria se arrumando para ir para a academia.

Raquel era sócia de seu marido e foi, por alguns anos, uma amiga e confidente para Alice, que admirava a mulher inteligente, confiante e atlética que era responsável por trazer para empresa todo o dinheiro e todos os clientes, enquanto seu marido executava, nos bastidores, os projetos de arquitetura.

Alice tentou seguir os passos de Raquel. Matriculou-se na academia que a amiga frequentava religiosamente, sempre das sete às oito horas da manhã, e passou a seguir a mesma dieta rigorosa, com severas restrições a carboidratos, que mantinha o corpo de Raquel sob controle. Não demorou muito até os resultados aparecerem. Alice emagreceu a olhos vistos e passou a receber elogios quase diariamente. Todos queriam saber a receita do sucesso.

Entre quatro paredes, contudo, Alice desmoronava. Quanto mais era admirada publicamente, mais infeliz se sentia. Daquele período, a lembrança mais viva era a de uma fome constante e insaciável, a sensação de ser um animal faminto trancado em uma jaula de zoológico, suportando os olhares indiscretos dos visitantes.

A amizade foi esfriando de maneira diretamente proporcionalmente aos quilos que Alice foi recuperando. A partir daí, Alice ficava em dúvida, sempre que via Raquel, se o que via no semblante da mulher era pena, nojo ou reprovação cada vez que, no que ela achava serem olhares discretos, encarava as partes de corpo da antiga amiga que transbordavam os limites do aceitável.

Alice, em resposta, passou a usar roupas cada vez mais largas, mais alternativas e de cores mais extravagantes, que combinavam muito pouco com o estilo sofisticado, sóbrio e esteticamente limpo dos ambientes que seu marido projetava, e que Raquel parecia representar com sua própria silhueta esbelta.

Agora, diante da casa de Raquel, Alice admirava a construção belíssima. Dois andares, piscina, churrasqueira e deque. Mais do que ela jamais havia sonhado para si mesma, se é que algum dia tinha sonhado com algo. Quanto mais Alice pensava no assunto, mais se consolidava dentro dela a sensação de que o que ela chamava de sonhos eram apenas as fantasias e os desejos mais comuns de um imaginário coletivo.

De família tradicional, Raquel sempre teve mais dinheiro do que precisava e ao longo dos anos, com seus contatos e suas habilidades, conquistou uma pequena fortuna. Era solteira e dada a luxos. Na sua lista de gastos constavam idas a spas relaxantes, tratamentos capilares em salões de beleza frequentados por celebridades, massagens modeladoras e uma cozinheira que preparava pratos sem glúten ou lactose. Raquel tinha chegado a pagar um safári na África para o qual nunca tinha ido.

Alice poderia viver, se quisesse, exatamente da mesma forma. Eles tinham dinheiro suficiente para isso e seu marido nunca lhe negou nada. Ele ficava extremamente feliz quando as necessidades dela eram puramente materiais, facilmente resolvíveis. Mas Alice respondia a suas ofertas de presentes, viagens e jantares economizando cada centavo em que conseguia colocar as mãos, pintando o próprio cabelo em casa e cozinhando sempre que podia. Ela tinha testado o marido em alguns momentos, pedindo dinheiro para comprar presentes para pessoas que nem sequer existiam. Ele não se importava. Daria dinheiro a ela até mesmo para comprar um terreno na lua.

Alice trabalhava apenas meio período, dando aulas de inglês em uma escola bilíngue. Sua renda era insignificante em comparação com a do marido, mas ela gostava da sensação de ter algo que era só dela, algo que ela não precisava compartilhar.

Apenas alguns minutos se passaram e, como previsto, Raquel saiu pela porta da frente, dando de cara com Alice.

— Alice? O que você está fazendo aqui? — perguntou ela, surpresa, e com uma expressão de medo.

A mulher era irritantemente bonita. Estava sem maquiagem nenhuma, exceto por um hidratante nos lábios, e seus cabelos loiros claros estavam presos em um rabo de cavalo desarrumado. Mas, de alguma forma, sua pele brilhava e ela parecia saída de um catálogo fotográfico.

Alice pegou o envelope na bolsa e entregou-o a Raquel.
— Oi, Raquel. Tudo bem? — respondeu Alice calmamente. — Eu quero te pedir um favor. Entrega essa carta pra ele? Nela eu explico tudo. Bom, tudo que eu consegui explicar. Eu fico me perguntando se as palavras existem, e sou eu quem não sabe conectar elas aos sentimentos, ou se não existem palavras suficientes mesmo. Talvez, se eu soubesse todas as línguas do mundo, e conseguisse escrever em todas elas ao mesmo tempo, conseguisse chegar um pouco mais perto de encontrar uma palavra para cada coisa que existe aqui dentro de mim, sabe? Mas aí talvez eu ruísse por dentro igual à Torre de Babel. Será que foi por isso que Deus destruiu a construção? Línguas demais, sentimentos demais, confusão demais? Eu nunca terminei de ler esse pedaço da bíblia. Você já?
— Alice, você não está falando coisa com coisa. — Raquel lançou-lhe um olhar preocupado, uma ruga aparecendo entre seus olhos muito verdes.
— O pior é que estou. Pela primeira vez na vida. Olha, é o seguinte. Eu sei que vocês são amantes. Já sei há muitos anos. Você não sabe o alívio que senti quando ele encontrou você. São perfeitos um para o outro. De verdade. Não naquele sentido "Vocês são duas merdas e se merecem". No sentido de vocês se completam. Ele precisa de alguém para cuidar dele e você adora cuidar dos outros. Te agradeço muito por tudo que fez por ele e agora te peço mais. Vai dar tudo certo, não se preocupe. Você e ele vivem num mesmo mundo. E agora você e ele vão poder ter a família que sempre quiseram, e que eu nunca quis.
— Você está deixando ele, é isso? — perguntou Raquel.
Alice não conseguiu ler o semblante da mulher. Ela não parecia nem feliz nem assustada. Só parecia confusa.
— Eu tenho que ir — respondeu Alice.
Saiu andando rápido em direção ao metrô, antes que Raquel tivesse tempo de reagir. Sorriu para si mesma. Eles

seriam felizes juntos. Raquel adorava o amor dele. O mesmo que ela tanto detestava. A preocupação, o carinho, os abraços, os beijos e o principalmente o sexo. Tudo seria de Raquel agora. Ele seria finalmente feliz e Alice seria finalmente livre.

Ter adquirido a aparência de uma velha decrépita era algo que não a surpreendia. O que tinha feito todos aqueles anos para evitar isso? Anos dos quais se lembrava vagamente. Anos sem sonhos e conquistas, sem um trabalho do qual pudesse se orgulhar. Anos improdutivos, que não contribuíram para a melhoria de nada e nem de ninguém. Dias vividos um após o outro. Enquanto todos ao seu redor floresciam, ela murchava.

Assumia toda a responsabilidade pelo que tinha acontecido. Quis abraçar o mundo e mal conseguiu abraçar os próprios joelhos enquanto chorava nos cantos do quarto. Ele trabalhava muito e ela ficava sozinha em casa boa parte do dia. Aquela solidão foi a única coisa que a manteve saudável por tanto tempo.

Suas melhores lembranças estavam no passado. A senhora no espelho não a permitia negar isso. O tempo que perdeu invejando a vida dos outros foi para sempre perdido.

Algumas estações de metrô depois, chegou finalmente ao seu destino: a antiga casa de seus pais, agora fechada. Seu marido tinha insistido muitas vezes para que Alice a alugasse ou vendesse, mas tudo ficou como estava. Era justo que a casa refletisse quem ela era. Se até mesmo aquele imóvel inanimado progredisse mais do que ela, seria insuportável.

Tudo mudava, menos Alice. Até hoje. Até agora.

Entrou na casa empoeirada com cuidado, com receio de encontrar ratos ou morcegos. O assoalho de madeira rangeu sob seus pés.

Não havia nem mesmo aranhas. Ele tinha mantido a casa limpa todos aqueles anos. Provavelmente tinha contratado uma diarista. Sentiu um aperto no peito. Mais uma vez ele e aquele amor. Até mesmo agora laços a prendiam e sufocavam.

Tudo o que ela sempre quis foi viver como um animal livre. Sem expectativas e regras. Mas era fraca demais para não sucumbir à pressão e ao maldito amor.

Seu antigo quarto estava exatamente como o tinha deixado. Um quadro de fotos mostrava as imagens amareladas da época em que ainda acreditava que podia coabitar naquele mundo. Já tinha esquecido que um dia tinha sonhado com uma profissão, uma casa e um cachorro. Nem acreditava que aquela pessoa sorrindo nas fotos era ela. Pelo menos cinquenta anos a separavam daquela garota, daquele ser que habitava outro espaço-tempo.

Deitou-se em sua antiga cama, abriu a mala e retirou tudo aquilo de que precisava.

O torpor não demorou a chegar. Sua cabeça agora estava leve e seus pensamentos esparsos. Gostaria de ter levado algo para ouvir. Uma das músicas de sua adolescência, talvez.

Enquanto o sangue saía de suas veias e a química adormecia seus sentidos, seus cabelos foram voltando à cor original. Não o vermelho da semana passada, recentemente tingido, mas aquele castanho acobreado que tinha aos dezesseis anos. Os sulcos deram lugar a uma pele lisa, jovem e brilhante, sem espinhas. Ela nunca teve espinhas, nem mesmo na fase mais crítica da puberdade.

O corpo flácido, curvado e enrugado foi substituído por músculos tonificados e fortes, com a aparência esguia de uma jovem atlética e saudável.

Ela olhou para suas mãos sem manchas e sorriu, radiante. Era o sorriso de uma garota que tinha todo o tempo do mundo à sua frente. Escolhas e mais escolhas dançavam diante de seus olhos.

Naquele momento, não estava apaixonada. Não amava ninguém e ninguém a amava. Sua vida era só sua. Estava finalmente livre do peso daqueles trinta anos de prisão.

Eduarda Sampaio *é mediadora do Leia Mulheres Salvador desde 2016, mesmo ano em que aprendeu que desistir de tudo e recomeçar é uma prova de coragem, mas também que há livros para absolutamente todas as fases da vida.*

FITAS DE PROMESSAS

MARIA CAROLINA MORAIS

Na manhã de 20 de outubro, Simone já havia tomado uma grapete, chupado nove pastilhas garoto, um pirulito, e mascado um pacote de chicletes — no dia do aniversário, o açúcar tava liberado até meia-noite. Pra adoçar, talvez, o dia mais indesejável de sua vida; ao menos, foi o que ela deixou rabiscado no guardanapo. Talvez nem fosse pra tanto, mas foi o que ficou no papel. Eu só soube desse dia, e por acidente, remexendo em um caderno velho do Alberto Roberto, pelo que ela deixou por escrito. Quando mostrei os garranchos de uma garota bêbada de açúcar, ela respondeu que nem se lembrava mais de nada, nada daquilo, que desse aniversário só vinha ela encostada no balcão, sentindo-se só, muito só, e só isso. Foi só quando examinou o guardanapo amarelado, contendo uma listinha e comentários sob o cabeçalho de recife, 20 de outubro, que a memória dela se expandiu cheia de excessos. Simone tinha escrito que neste dia queria estar feliz, porque as pessoas normalmente se sentem felizes no dia do aniversário. Mas, pensando bem... Por que estaria? Se havia feito dezesseis anos e não tinha namorado, tinha poucos amigos, e, pra piorar, não tinha viajado pro interior com a turma. Tudo por causa de mim, pensei. Além do mais, sentia-se gorda, um balão cheio de um parto que ainda não tinha ficado pra trás.

Enquanto ela escrevia essas palavras que citei, imagino que as coxinhas fritavam na lanchonete, sob o olhar engordurado dos furos na placa de preços, das letras e números viscosos. Frutas, sucos, salgados e refris desbotados ilustravam as paredes, vigiados por três ventiladores que ressoavam como lambretas. Simone tinha acabado de passar pano nos azulejos encardidos, mesmo que dois braços fossem pouco. E que Aurélio chegasse na hora do almoço, esfregasse o dedo em riste, e ela tivesse de começar tudo outra vez. Já sem tanto afinco ou esperança; recomeçando sempre no mesmo adesivo desgastado que dizia: Pra Frente, Brasil! No rabisco ainda havia: daqui a dez anos, quando eu pensar nisso tudo aqui (caso estivesse viva, era importante frisar), eu vou rir e falar: ela nem imaginava quanta coisa boa estava por vir! Espero que eu não esteja mais gorda. Parecia uma carta de si pra si mesma, para a Simone futura; e que, pelo visto, só foi chegar à destinatária com mais dezesseis anos de atraso.

O rumor da rua espevitava os fios de seu cabelo preso, que dançavam. Ela puxou os rebeldes para trás e debruçou-se no balcão: homens abocanhando, pintando os cantos dos lábios com ketchup e maionese, enxaguando a boca com refrigerante, lambuzando guardanapos e largando os restos sobre as mesas. Da porta pra fora, gente e veículos nas ondas de quentura, a poça que se formara devido à chuva do dia anterior, cuja água saltava até a calçada quando as rodas a invadiam. E o chevette vermelho da antena com fitinhas laranja, que sempre sempre sempre passava no fim da manhã, caiu tão forte na poça que a água suja resvalou pra dentro da lanchonete. O veículo aparecera mais cedo, bem mais cedo que o normal. Simone passou o rodo nas gotas pensando nas fitinhas, que de longe lembravam as que vendiam em procissão. O carro foi embora e nem parecia que tinha vindo, nem parecia que tinha ido. Talvez ele nunca mais voltasse. Talvez, dessa vez.

E passaram galinhas amontoadas na caçamba de uma velha caminhoneta. Mirradas, o olhar de quem nada sabe daquelas caixas sujimundas, de quem nada se vinga. Algumas das penas que empolavam pela rua entraram na lanchonete. Dois braços eram muito pouco.

Do outro lado da avenida está o Morro da Conceição, que Simone vezemquando subia para falar com a santa. No dia anterior, tinha levado o filho até lá, e acendera seis velas que derreteram e culminaram num pequeno incêndio. A santa imaculada no alto, branca, louça, nem sentiu os pés arderem. Mas, no caminho de volta, ladeira abaixo, os olhos de Simone ainda queimavam.

— E comé que tá a criança? Tá boa? — Aurélio perguntou com sua voz de lixa, checando a bisnaga de maionese, os óculos na ponta do nariz.

— Tá bem, sim, senhor.

Simone ainda lembrava que o patrão relutara em lhe dar uma mesada durante sua curta licença maternidade, acusando-a de ter escondido a gravidez na entrevista de emprego; ele é que não ia sobrar de idiota, tendo há muito dispensado as outras pretendentes. Só que acabou cedendo à piedade, substituindo-a pela funcionária de outra de suas lanchonetes. O fato é que, não demorou muito, e Simone logo voltou pro balcão, pras coxinhas, pros homens às mesas de metal. De fato escondera que estava grávida o quanto pôde; precisava do serviço.

Mas, vê bem, seu Aurélio não era de todo mal: ao menos tinha palavra, esperou ela voltar, e nunca vinha bulir — Simone às vezes se virava abruptamente, mas os olhos do patrão nunca rastejavam por nenhuma parte de seu corpo, nunca nem pousavam nos olhos dela.

De volta à vida que arranjara, imprensada entre uma motocicletaria e um salão de beleza, ela não tardou a se aproximar das moças que trabalhavam por perto. Quando uma vizinha aparecia pra trocar dinheiro ou perguntar qualquer bobagem, Simone a recebia atrás de sua trincheira, onde mantinha a faca por perto, caso algum engraçado tirasse liberdade demais. De lá, a garota sorria e alargava a conversa para a visitante se demorar. Contava-lhe que a bebê já estava meio que virando pro lado sozinha, mas já?, e suspirava: não parava quieta; certeza que ela corria menos atrás de clientes e coxinhas do que em casa. As moças faziam que sim com a cabeça, sei bem como é.

No mais, a clientela da lanchonete era toda músculos e suor; trabalhadores que faziam questão de se alimentar ali nas escapulidas do serviço, cheios de fome e peito aberto. Eram muitos os frequentadores cobiçosos, mesmo Simone se sentindo feia e trombolha daquele jeito, pensando no gosto doce e amargo daquilo tudo que tinha ingerido ainda cedinho. Porque era seu aniversário, e alguma novidade ela tinha de ter, e a comida nunca lhe dizia não. Enquanto eles olhavam de esguelha, de frente, de lado, de cima abaixo a mocinha, ela rabiscava a lista de quantos amigos ainda tinha, do que queria pro futuro, e quem era seu amor da escola: Divaldinho. Que não era mais amor; aliás, ele nem sabia que era amor, e agora ia saber menos ainda.

Lá veio Melqui, o fornecedor de refrigerantes, andando que nem um marreco dançante, mexendo a cabeça careca pra lá e para cá. De chegada ele já desandava a lorotar, mas a conversa ia sempre pro mesmo
— Sai comigo, Simone.
Quando ela estava grávida, Melqui não vinha com essa. Agora, mostrava a foto de seus três moleques, menos a da esposa.
Ela desviou os olhos e bufou. Inspirado, ele armou os polegares e indicadores em L e, enquadrando o rosto dela, disse que queria fazer um filme. Tu prefere romance ou comédia?
Simone lhe mostrou a foto de Mariazinha, e a primeira reação dele foi achar graça.
— Oxe, parece contigo não.
Ela já havia lhe dito que tinha namorado, o pai da menina. Mas Melqui insistia como se nada.
— E cadê ele que nunca aparece?

— Tá trabalhando. Ele trabalha muito.
— Tá bom! Muito trabalhador, esse seu namorado. Tem foto? Melqui continuaria seu amigo? Gostaria dela ainda? Traria esmaltes de lembrança? Ainda a faria rir, se ela dissesse não?
— Vou comprar um cachorrinho pra tu, tu vai gostar! — ele ofereceu.
Simone pensou no cachorrinho: que fosse alegre e a fizesse feliz.
— Um filhote de poodle que minha vizinha tá vendendo. Poodle cinza, já viu? O pai é branco, a mãe é preta.
Simone ficou pensando no poodle cinza, bem diferente. E o nome: Bitito? Pereba? Não, seria fêmea, seria Judy. O porquê ela já não lembra.
Ele mudara de assunto e ela ainda com Judy na cabeça. Era coisa sua desde pequena se imaginar correndo pela calçada e tendo uma Judy atrás. Uma Judy amiga e bonita que nem as cachorras da televisão, que nem as do prédio ao lado da sua casa, chamado não sei o quê do Paternon. Judy existiria onde existiria ela dentro do prédio ao lado de Judy.
A conversa evaporou, deixando apenas as coxinhas que fritavam, buzinas e as penas das galinhas em redemoinho no chão, perto dos pés de Melqui. Ela achou que já tinha limpado tudo, mas não. E, a cada vassourada, a imagem de Judy, a cachorra diferente, cinza, foi escafedendo. Seria um presente, ele explicou, pelo nascimento da criança, pra nova mãe do pedaço. Mas, Melqui, sinceramente, é melhor não. Capaz de meus pais deixarem a bichinha na rua se eu aparecer com mais essa. Ou de deixarem eu na rua, não sei nem o que é pior.

Mais tarde veio Baltasar, e ela novamente escondeu o guardanapo no caderno. E ficou pensando se devia incluí-lo em sua lista de amigos daquele ano, imprensada entre as folhas do Alberto Roberto. Nomes como Melqui e Baltasar nem combinavam com os outros nomes, não combinavam nem com o dela.

O molho de chaves tilintando embaixo da barriga, Baltasar subindo o batente com um pacote pesado nas costas; guardanapos e sacos de pipoca para embrulhar as coxinhas. Ao puxar assunto, sempre falava dos personagens ilustrados nas embalagens.

— Eu trouxe pra cá uns com desenho de jogador de futebol: Pelé! Tá vendo só? E tem esse aqui com o Zé Carioca: Volte Sempre! Eram os últimos; pras outras lojas levei os da Minei e do Pato Donald: Obrigado pela preferência! Tais vendo tu?

O sonho de Baltasar era ter uma fábrica de papel e fazer seus próprios saquinhos de pipoca, embrulhos de pão e guardanapos. Simone não faz ideia de que fim Baltasar levou; vai que deu certo? Vai que meu rosto circulou mesmo por aí e eu nem vi.

— Eu desenhei um do Roberto Carlos e dei a ideia pro meu chefe mandar fazer igual nos saquinhos, mas ele não liga. Agora, imagina uns do Chacrinha, do Fábio Júnior, dos Jetsons? Do Luiz Gonzaga! A Gretchen!

Baltasar estendeu um pedaço de papel de pão com um desenho. Simone não reconheceu a figura.

— Quem é?

— É tu, Simone! Que tal, teu rosto num saco de pipoca, batata frita? Fica de presente, presente pra tua filha.

— Oxe, e quem vai querer saco de pipoca com a minha cara? O povo já nem olha pra isso, imagina com essa coisa horrorosa.

— Muito melhor que a Minei! E embaixo do desenho, o que a gente bota? Uma poesia bem bonita, de amor. Pra você dizer: te amo filha.

— Bota: esquece isso, Baltasar! Esse troço enche logo de gordura e o povo joga no lixo. Tu parece que bebe.

— Pois deixtá, Simone. Quando eu tiver minha fábrica, tu vai ver teu rosto em todo saco de pipoca da cidade. E vai lembrar de mim!

As chaves tilintaram como sempre enquanto ele ia embora, o barulho sumindo entre os zunidos da avenida. Na vez seguinte, ele viria falar as mesmas coisas como se nada. E ela ficaria pensando que se um dia seu rosto ficasse rolando por aí nas embalagens dos pipoqueiros, se um dia o pai da. Baltasar nem sabia que era seu aniversário e ela ficou pensando em dizer, três, seis, nove vezes. Pra quê? Pra ele vir lhe dar saquinhos de presente cheios de tudo o que ela menos queria ver?

Talvez dali a dez anos, quando completasse 26, por coincidência a idade do, ela estivesse feliz por lá. E tivesse se realizado, ganhado mais filhos, e um pai para Mariazinha, um marido lindo que a amasse. E que ela tivesse alcançado seu grande sonho que era se tornar atriz! Enquanto Simone lia essas frases, tive a impressão de que ela ficou encabulada. Apertou os olhos assim, fez careta, como não suportasse o peso de tudo que tinha sonhado.

— Meu jesus, como eu era idiota.

Mais tarde veio o senhor bigode, o dos óculos de aviador. Ela lembrava bem dos óculos, do bigode, e daquela pose sem fineza de pernas arqueadas, de sentar esparramado e falar alto. No cartão que ele lhe dera não tinha nada disso. Era até bonito, com letras espiraladas, delicadas. De perto, ele era ainda mais alto, ainda mais forte, um morenão de cabelos finos e ralos assentados com brilhantina. Sob os fios bem penteados, seus dentes eram grandes. Até hoje, ela não sabe muito bem a explicação. Feito um guarda-chuva que fechou e ela ficou lá dentro.

Gaspar pisou na coxinharia como se atravessasse o arco do triunfo. Ela inclinou a cabeça: nem era tão mais velho quanto achava. Até novinho, até bem moço, talvez.

Uma caneta presa no bolso imenso de sua camisa, um país encravado pelo mastrinho bambeando lá dentro. Os ventiladores espalharam sua colônia, que dominou o espaço, e ele achegou-se ao balcão abrindo a carteira de couro. Uma coxinha e um guaraná geladinho. Sorriu para os minúsculos brincos na orelha dela: preferia assim, eram pesados os biombos que Simone ostentara no dia do desfile. O desfile em que tirara sexto lugar... deixa pra lá. Onde ele a conheceu e lhe entregara seu cartão.

— Grandes demais, por isso tu perdeu.
— E como é que tu é todo entendedor?
— Mainha é cabeleireira desses concursos. Desse riscado, eu entendo.

Gaspar tinha mãos grandes, vozeirão rouco de violeiro. Uma gota de suor escorria pelo peito aberto encarnado de pombo enquanto suas palavras ecoavam em tudo, donas da vibração: Gaspar todo pra fora, todo presença. Ele abancou-se em uma das mesinhas de metal e disse: Simone, nós vamos à praia; vamos dançar; vamos ao cinema; ao parque. Ou ela preferia ouvir a lorota do janelinha cineasta, ou do desenhista de papel de pão? Gaspar, o cheiroso, o advogado, exalava terra e madeira. Trouxe um perfume numa caixinha pra ela: mirra, conhece? Sabia que era seu aniversário. Lembrara. Simone e sua listinha de desejos: aos 26, ela não estaria gorda; nada fora do lugar. Quanto a Gaspar, era caber no bolso dele. Maria, aquela avenida norte era muito quente, e a colônia que vinha pelo ventilador, e aquela mirra na caixinha

Simone sorriu e olhou para o balcão: tenho uma filha, ela respondeu, antes de aceitar o presente.

Olhou-se pelos óculos de Gaspar. Seu rosto deformado, borrado, como se ela estivesse presa naquelas lentes.

Gaspar deslizou pelos braços finos e fortes de Simone, acariciando-os com as costas dos dedos.

— Você é um avião, tem porte, sabe? Bem que eu vi que não era feito menina, mas direita, apesar de novinha. Como é o nome da tua filha?

Gaspar não quis saber do pai. Como se já soubesse que não havia nada o que saber.

Simone entregou a ele coxinha mais perfeita que já fritara; dourada, crocante. Embrulhada na Minei vestida de princesa, é o que eu acho.

Abocanhada por Gaspar, a garota viu no miolo fumegante os pedacinhos de coentro, cebola e pimentão misturados à galinha desfiada. Pediu desculpas pela simplicidade do espaço, sabe como é, né? Simone falava de um jeito que nem sabia como falava, se tinha visto na novela, sei lá. Era assim que era pra falar? Ou não é? Ela se vendo falando nos óculos de Gaspar. Se ele chegava perto, se ele chegava longe, ela nem sabia como era de verdade. Sua imagem aumentando e diminuindo e ela sem palavras. O bigode era um negócio tão estranho, que Simone nem gostava ainda. Foi uma coisa de aprender. Dali a dez anos não teria mais nada disso, só uma lembrança bem pequena, nota de rodapé, dela atrás do balcão, ninguém nem ia acreditar.

Gaspar passou a língua nos dentes e sorriu. Os braços largos, fortes o bastante para abarcar

— Você merece mais que isso aqui, menina. Muito mais.

Eu também achava isso. Eu queria ser atriz, mostrar que debaixo do avental estava a camisa da mulher-maravilha: não se enganem. Finalmente, alguém que me reconhecia. Alguém que percebia tudo de que eu era capaz. Eu não era só mais uma menina perdida no meio da avenida norte.

Gaspar fixado na coxinha, não parava a mastigação, tencionando a mandíbula. O bigode oleoso, com pontinhos de farinha; ela não gostava de nada disso, mas depois acostumou. É o que eu acho.

Um rugido familiar veio ao longe. Simone olhou para a rua e era o chevette vermelho, que zuniu vindo no sentido contrário ao que fora, com suas fitinhas laranja ao vento na antena.

Gaspar virou-se para trás, a caneta bem presa ao bolso.
— O que foi?
— Nada não — ela sorriu torto, olhou pra baixo. Era aquele carro que sempre ia, sempre ia, que ela nunca tinha visto voltar, e que ela esperava não ver mais ir, nunca, nunca mais. Todos os dias era como se fosse a última vez; dias de esperanças renovadas. Agora, ele vai embora e embora e embora pra amanhã nunca mais aparecer.

Simone encarou o caderno amarrotado do Alberto Roberto, guardando seus desejos pro futuro, sua lista de amigos: Por favor, não esteja mais gorda. Jú, Blandina, Beta, Ceça. Amor: Divaldinho. Voando nas fitinhas da antena; voando e voando.

Maria Carolina Morais *é escritora, tradutora, professora, jornalista, mestranda em teoria literária, e, como já deu pra perceber, vai se virando pra ganhar a vida. É também mediadora do Leia Mulheres Recife e tem um livro publicado, "4 Décadas em 4 Contos", pelo projeto Livros Fantasma, e que pode ser baixado gratuitamente em: http://livros-fantasma.com/catalogo.*

OURO DE DENTRO

MARIANA PAIVA

O amor transformado em toalhas de mesa, janelas que abrem e fecham todos os dias à mesma hora, as tardes de quinta-feira reservadas para o sexo. Mas também eram muitos os passeios aos quais se dedicavam juntos. Janaína se arrumava toda, maquiagem passo a passo, as cores cuidadosamente combinadas. Os dois davam as mãos e saíam porta afora, voltavam às vezes para conferir se o portão da rua estava trancado mesmo. O gato não podia escapar. O amor como um gato esperando um vacilo para fugir sem destino.

O portão sempre estava trancado. A conferência era para simples efeito de consciência limpa. Quando retornava à casa, no fim do dia, Janaína entrava olhando tudo do jeito que havia deixado antes de sair: a sala o micro ondas as roupas no varal a televisão o controle o ar condicionado desligado. Sua ausência nada modificava: Janaína nem estava ali na maior parte das vezes. Seu corpo sim, seu corpo todos os dias percorria os cômodos da casa à procura de uma novidade. O pensamento longe. O corpo vagando, se pondo debaixo do chuveiro, sujando pratos, empilhando roupas no cesto.

Amava outro. Nesse sentido tinha um pouco de covardia, mas só um pouco: não se pode ter tudo nesta vida, afinal. Queria a coragem da amiga que, casada há muitos anos, não teve vergonha alguma de contar sobre o ex-namorado. "Acho que vou amar para sempre." Foi a primeira vez na vida em que Janaína calou sobre o assunto, e por isso mesmo talvez não conseguisse sair daquele momento. Os sapatos do marido da amiga em frente à porta, os livros dele, uma camiseta jogada sobre o sofá. E Sueli dizendo que amava outro. Que coragem, Sueli! Isso Janaína pensou, mas também não disse. Não queria ou não sabia dimensionar o tamanho de sua covardia.

Modesto Azevedo era o nome pomposo de sua paixão escondida. Dava risada quando lembrava disso, chamava-o apenas "meu amor". Para Janaína ele não tinha outro nome. Mas era assim: Modesto Azevedo. Nos documentos que assinava, no paletó em que vivia enfiado, em toda a pompa e circunstância que cercava sua presença nos eventos oficiais.

Mas ele vivia a léguas dali. Muitas léguas (quantas?). Ainda assim, se Janaína precisasse, a voz dele atendia ao telefone cheia de carinhos. "O que é que há?", ele perguntava. Avisava que estava em reunião — ele vivia em reunião — ao mesmo tempo em que ia pedindo licença aos companheiros de trabalho e deixando a sala. "Me conte o que aconteceu." Janaína contando qualquer problema, rebelde indisfarçável: "Como é que pode um absurdo desses, Modesto? Diga aí, você que me conhece desde sempre! Pois é". E Modesto aquiescendo, sim, ela era linda, a melhor pessoa, coração perfeito. Não merecia mesmo ouvir impropérios de qualquer natureza.

Ele que estava ali não estando. Modesto que deixava a reunião para contar nessa hora sempre a mesma piada. Somente eles riam daquela besteira. Era um pagode qualquer, historinha de interior, mas não importava. Modesto lembrava a Janaína que ela sabia rir e então ela ria, ria até não poder mais. Ria gostoso, um riso que vinha do fundo da alma. Vez por outra é que ele falava em saudade, assunto que eles costumavam evitar para não doer. Ele perguntava se podia ligar depois já sabendo a resposta. Não podia. Mais tarde ela não estaria sozinha (o que era mentira — a despeito da companhia de seu amor cotidiano, ela estaria sempre a sós). Modesto outra vez no meio da rua, de tardinha, inconformado com a distância. Os carros passando e o dono da oficina mecânica olhando feio para aqueles dois que decidiram conversar em seu estacionamento. Aquele encontro de poucas palavras e um breve abraço de despedida, a ilusão de que eles não seriam mais. Vou te esquecer. Eu também. E o amor como uma tardinha antiga que a gente visita às vezes. Modesto espalhado por sua vida nova em detalhes secretos. Uma pequena escultura. A cor do céu azulzinho quando o sol começa a ir embora. Um poema guardado. Uma canção de Chico que Janaína nunca mais quis ouvir, e que, de repente, volta numa tarde de domingo trazida pelo próprio Modesto. Digitada letra a letra, ele que não sabe copiar e colar no computador. Modesto sempre se fazendo de bobo, mas se esquecendo de disfarçar na hora em que a saudade aperta: é domingo, sua esposa está passeando com as crianças, sobrou espaço e tempo, e o resultado dessa equação é Janaína. Um tempo passado tão presente ainda, alheio à marca branca que a aliança de ouro usada por tantos anos já deixou no dedo de Modesto.

E aquele amor dos dois já há tanto sem beijos, abraços, sem o amor mágico que faziam, transbordando em lágrimas quando enfim os corpos se fundiam. Desde aquele dia Janaína nunca mais falou em fazer amor. Só com ele usava aquela expressão a partir de então sagrada. Com quem quer que tenha vindo depois era foder transar trepar dar uma. Fazer amor ela não fazia há anos, naquela fusão transcendental que era amar Modesto com todos os poros de seu corpo. Amavam-se. Faziam e transbordavam amor.

Com Hugo não. Ela respirava fundo, demorava a se concentrar e a esquecer aquele outro, "ah, meu amor, me desculpa ser assim tão evasiva mas agora eu vou transar, dá licença de meu pensamento só um instantinho", Janaína pensava enquanto ia tirando a roupa e deitando na cama para esperar Hugo, Hugo que vinha por cima. E então gozavam juntos mas nunca um ensaio de lágrima sequer, que é o que acontece quando alma e corpo enfim vão juntos. Era raro o amor e ela o conhecia de velhas datas. Janaína então guardava aquela sabedoria como um segredo que ameaçava escapar vez por outra num suspiro. Perguntada sobre estar tão distante, ela desconversava: estava cansada — não tinha dormido bem — o olhar estava assim perdido pensando na conta de luz vencida. Diria qualquer coisa que não fosse a verdade: sabia ser linda de não precisar de maquiagem completa, creme de cabelo, roupa nova. Sabia sim ser linda e risonha comendo um cachorro-quente na rua, que agora ela dizia ter certo receio — e então não comia mais. Janaína toda feliz no vestido velho, comendo desajeitada um cachorro-quente de madrugada.

Com Modesto Janaína não tinha sono, não via o tempo passar, esquecia os vizinhos que podiam chegar e se agarrava a ele assim sem nenhum pudor na garagem, e riam juntos até mesmo da conta do motel. Aliás, faziam melhor: chamavam o motel de casinha, transformavam quartos com quadros eróticos, cama redonda e espelho no teto em pracinhas de piquenique ou salas de cinema para verem juntos e abraçados seus filmes favoritos. De manhã Janaína abria os olhos e Modesto já a observava, sentado na beira da cama depois de rezar (Modesto rezava todos os dias ao acordar). Dava-lhe um beijo de bom-dia e depois outro e mais outro e então chegavam ambos atrasados a seus respectivos trabalhos, numa irresponsabilidade alegre que só vendo pra saber.

Com Hugo, Janaína pegou gosto por dormir cedo, talvez para acabar logo com aqueles dias que se arrastavam tanto para passar. Hugo que comprou para ela na semana passada um conjunto novo de panelas. Os dias começando e terminando com o coração batendo em seu ritmo perfeitamente normal, sem alarmes nem surpresas, como na música do Radiohead. Janaína olhando pela janela, forrando e desforrando cama, achando muito besta aquela vida. Dormindo para acordar cedo no dia seguinte. O coração pela primeira vez conhecendo o domingo de viver sem sobressaltos, esperando apenas aqueles que chegam envelopados pelo correio todo mês: a luz o telefone a prestação da casa o cartão de crédito. Janaína querendo disfarçar e o telefone tocando,

Modesto do outro lado da linha também cansado do disfarce por lá. E então a vida de novo acontecendo, o riso, os dois à distância transformando tudo em segunda-feira de folga na praia. O gato espreguiçando, a porta aberta, o gato saindo ao sol, passeando sem hora para voltar. Janaína sorrindo com o cabelo bagunçado, linda como nem lembrava mais. Mas a alegria talvez intensa demais para ser suportável por mais de meia hora: por isso mesmo o telefone de novo no gancho enquanto a chave de Hugo gira na fechadura da porta de casa.

Mariana Paiva *é escritora, jornalista, autora de cinco livros, doutoranda em Teoria e História Literária pela Unicamp e mediadora do Leia Mulheres de Barão Geraldo, em Campinas -SP.*

ÂNSIA

LETÍCIA ZAMPIÊR

ÂNSIA

Veritas filia temporis.

Sêneca

O despertador toca e mal posso acreditar que é hora de acordar. Tento pensar na última boa noite de sono que tive, sem sucesso. Corro os olhos pelo quarto, iluminado pelo sol que passa pelas frestas da persiana. A poeira gira na claridade, para cima e para baixo, junto com a brisa que entra pela janela aberta.

A luz bate no vidro do criado mudo e reflete em meus olhos. Fecho-os, culpando o incômodo causado pela claridade. Mas a verdade é que não quero olhar para a gaveta. Se eu apertar os olhos, fizer uma oração e contar até três, ela vai ter desaparecido? Se eu desejar com toda a força? Se eu voltar a fita, fingir que nada aconteceu?

Na primeira gaveta, virada para baixo, com uma dezena de livros em cima, está aquela foto. Sinto a presença dela diariamente, como material radioativo que faz os sensores de seriados policiais apitarem. Às vezes penso que consigo ouvi-la me chamando, bem baixinho, tentando me enlouquecer. Ela zomba, me xinga, me grita. Ela irradia luz e tenta me cegar. Aonde quer que eu vá, o que quer que eu faça, ela fala comigo. Durante a noite ela tiquetaqueia como um relógio. Tic, você é burra. Tac, tão estúpida... Tic, patética. Tac, você é louca.

Levanto com a vista ainda um pouco embaçada e a primeira coisa que vejo é meu reflexo no espelho em cima da cômoda. O rosto cadavérico e a pele branca parecem acentuar ainda mais as marcas roxas sob os olhos. Quando meu cabelo ficou tão rebelde? Algo aconteceu durante a noite, ou eu simplesmente não havia me dado conta? Evitar espelhos era um hobbie recente. Espelho, espelho meu, existe alguém mais... Existe alguém? O que eu poderia ser mais do que alguém nesse momento? Mais o quê? Pareço um fantasma de filme de terror. Mas me sinto ainda pior do que pareço.

Dizem que o espelho pode mostrar o futuro. Olho dentro dos olhos do meu reflexo e faço esforço para não piscar. Vamos lá, futuro, apareça para mim. Nada. Será que não tenho futuro? Talvez esse seja meu futuro... Ser um fantasma do que costumava ser.

Abro a caixa de remédios e vejo quantos comprimidos ainda tenho na cartela. Em breve vou ter que voltar para uma nova receita. Apesar de teoricamente serem para dormir, tomo ao acordar. Conseguir lidar com o cotidiano é mais importante do que dormir. O comprimido desce pacificamente pela garganta. Em poucos minutos sentirei a paz química me dominando e tudo ficará bem.

Pare!, ouço um grito na minha cabeça. Ah, ela sempre aparece a essa hora. Xiu, xiu, garota. Em breve vai ficar tudo bem. Mas ela está especialmente resistente essa manhã. Por favor, lembre-se. Ponto delicado. Querida, você sabe que o melhor para nós é esquecer.

Involuntariamente meus olhos voltam para a gaveta. Não sei por que ainda não a joguei fora. Seria bem mais fácil. Mas talvez seja um jogo. Enquanto está enterrada, ela não existe. Posso fingir que nada aconteceu, que foi um sonho estranho ou um filme ruim. Enquanto ela está lá, eu não sou a vítima. Involuntariamente, tremo. Sei que vou ter que encará-la em algum momento, seja hoje, seja em dez anos. Algum dia terei de encará-lo.

Caminho lentamente para o criado-mudo, como se me aproximasse de uma bomba. Abro a gaveta. Meu coração bate freneticamente e minhas mãos suam. Paro por um instante e respiro profundamente. Levanto livro por livro, caderno por caderno, até que a encontro, colada no fundo da gaveta. As beiradas estão um pouco amassadas e amarelas. Quanto tempo passou sem que eu percebesse?

Dois rostos me encaram sorrindo. Adio olhar para ele e foco em minha própria imagem. Algo parece estranho. Sei que nossos rostos são diferentes do que vemos no espelho, algo sobre simetria, mas não é isso que me incomoda. Olho atentamente para cada parte do meu rosto, tentando determinar o que parece estranho. E então vejo os olhos. Minha boca sorri, mas eles não. Sempre pareci tão infeliz? Meu rosto se inclina levemente para a esquerda, no sentido contrário do dele. Será que meu inconsciente é mais esperto que eu?

Passo então para o rosto dele. Branco, comum. Seu sorriso é incomumente grande. É possível alguém ter tantos dentes assim? Ele parece sincero? Ou ele também estava tentando provar algo para alguém? Não... Ele está feliz de verdade. E por que não estaria? Ele é o macho alfa dominante. Ele é o pesadelo de qualquer colega de trabalho. Lobo em pele de cordeiro. Bicho papão de toda feminista.

Não consigo deixar de pensar em como tudo degringolou em tão pouco tempo. Gradual, mas repentino. Tudo sobre ele é paradoxal. Foi como uma goteira pingando a noite inteira dentro de um copo. Uma hora ou outra iria transbordar. Quando você quer que algo funcione, é fácil ignorar o barulho da água pingando. Mas isso não faz com que seja menos torturante. Minha tortura chinesa auto-imposta. Água mole em pedra dura tanto bate até que fura. E me furou, querido.

Acho que sempre senti que havia algo errado. A sensação é que eu seguia um roteiro, com falas ensaiadas e marcação de posições. Ele era o diretor e eu era a atriz. Não faça isso. Sorria. Não seja tão dura. Seja polida. Não trate seus pais assim. A errada era sempre eu. A cada dia me afundava mais em uma personagem e me afastava de mim. Ele fazia um esforço consciente para apagar minha personalidade e reescrevê-la conforme seus próprios caprichos. Cutucava cada ferida, destruindo os pontos de segurança que me sustentavam, me deixando cambaleante, com ele de muleta.

Naquele dia, em que tudo começou a ser demais, ganhei o título de agressiva. Se ter uma voz e uma opinião discordante é ser agressiva, então sou uma besta selvagem, darling. Eu vou gritar, tatuar na testa, escrever no meu corpo e aparecer na capa do jornal. Eu não sou a louca, eu não sou a burra. Essa quem criou foi você. Saí do papel, pulei do palco e disse "Não!" O não mais alto que eu podia gritar, daqueles que tremem a voz e rasgam a garganta. Joguei o roteiro do telhado e botei fogo no prédio.

O ódio chegou quando tudo acabou e descobri que não sabia mais quem eu era. Ódio dele, ódio de mim, ódio de estar passando por aquilo de novo. Tudo o que eu dizia era ruim, tudo o que eu fazia era errado. Foi quando a brincadeira do espelho começou. Quantos dias consigo ficar sem ter que me olhar? Quanto tempo até que todos os meus amigos tenham virado uma memória distante? Quanto tempo até perceberem que estou trancada em casa há um mês?

A bile começou a subir por minha garganta. Sinto tanta vergonha, tanto ódio. Mas, querido, não vou te dar o gostinho de se vangloriar a respeito. Vou ser bem clara: você não "quebrou meu coração", "me decepcionou" ou qualquer coisa do tipo, porque isso envolveria sentimento e nunca senti nada por você. E talvez esse seja o pior. Se eu tivesse me apaixonado, teria uma desculpa. Mas qual a minha desculpa para ter dito o primeiro sim?

Rasgo a foto em duas, separando meu rosto do dele. Então, pico a parte dele nos menores pedacinhos possíveis. O hábito de picar fotos como forma de catarse foi algo que aprendi com minha mãe. É por isso que não existe nenhuma foto do meu avô ou da época em que ela namorava meu pai. Faço o trabalho com uma precisão exagerada, e, depois de alguns minutos, chego ao resultado perfeito. Ninguém poderia dizer que aquilo um dia fora o rosto de alguém.

Em seguida, corto minha parte da foto no meio, de forma que os olhos e o sorriso fiquem separados. Descarto a boca e encaro os olhos por algum tempo. Eles estão sérios, desconfiados. Eu já sabia o que estava por vir? Tinha adivinhado o plano orquestrado por ele? Talvez ele não fosse um rei do crime e eu só estivesse dramatizando tudo como sempre. Talvez ele fosse só um ser humano. E basta olharmos o jornal para entender do que o ser humano é capaz. Mas, mais do que humano, ele é um homem.

Sempre fui uma especialista em fugir de estressores. Acho que meus instintos são ainda um tanto primitivos, evolutivamente falando. Passei a minha vida toda ouvindo que isso era um defeito e que precisava ser consertado, afinal, as relações humanas se constroem na base da confiança. Mas se eu tivesse atendido aos meus chamados logo no início, parte disso não poderia ter sido evitada? No, don't go there. É fácil demais culpar a presa quando ela entra na armadilha de bom grado. Contenho minha vontade de gritar para o reflexo que me encara.

Abro a persiana e jogo os pedacinhos dele pela janela. O vento os carrega para longe, como confete na época do carnaval. Seria tão fácil se tudo pudesse ser resolvido assim. Lembro-me daquele filme em que o casal decide apagar um ao outro da memória. Acredito no discurso de o que não te mata te fortalece, tenho que acreditar, mas não posso negar quão mais fácil seria simplesmente esquecer.

Pego a foto dos meus olhos e encaixo na moldura do espelho. Revezo o olhar entre a foto e meu reflexo, procurando as semelhanças e diferenças. A pupila do meu reflexo parece menor, provavelmente por conta dos remédios. Qual dos dois parece mais feliz? Nenhum. Será que ser feliz é uma capacidade natural com a qual eu não nasci? Penso na minha família. Se a felicidade for genética, eu estou fodida.

Tento lembrar quando foi a última vez em que estive verdadeiramente feliz. Mas, no fim das contas, o que é felicidade? Vamos tentar paz. Tento lembrar a última vez em que me senti em paz... E uma imagem me vem à cabeça. Eu e meus amigos, almoçando juntos, rindo de alguma coisa idiota que alguém tinha falado. Os cabelos bagunçados. Todos de cara limpa e corada.

Então ele apareceu.

Qual foi a última vez que realmente falei com eles? Sem mentir.

Mas por que não me sinto melhor agora, sem ele? Estou vazia e cansada. Apesar de não ter amado, eu acreditei. E isso foi muito para mim. Sou uma viciada em jogos e apostei todas as minhas economias nele. Perdi. Ele comprovou tudo o que eu acreditava, mas não queria acreditar. Todas as minhas teorias e fantasias. Ele mirou meu sintoma e acertou.

Ainda encarando minha imagem, sinto uma súbita necessidade de tomar banho. Preciso limpar ele de mim. Tirar todas as células que um dia tiveram contato com ele. Não posso me dar ao luxo de esperar sete anos. Corro para o banheiro como se minha vida dependesse disso. Abro o chuveiro minimamente, de forma que a água saia queimando. Esfrego-me vigorosamente com bucha e sabão até a pele ficar vermelha e sensível. Todas as lembranças passam por minha cabeça e as lágrimas começam a escorrer. A culpa é tão grande! Esfrego mais rápido.

Depois de um tempo paro, exausta. Abro mais o chuveiro, para cair água fria, e fico lá parada, sentindo minha pele pinicando. Tento fazer um inventário do que sobrou. Ainda estou de pé. Sou ainda mais inteligente do que antes. Tenho vontade de viver.

Saio do chuveiro, me enxugo calmamente e olho intencionalmente para o espelho.

Agora é nossa vez.

Letícia Zampiêr *é psicóloga, formada pela Universidade Federal de Juiz de Fora (UFJF), e atua em seu consultório particular em Juiz de Fora. Nas horas vagas produz conteúdo sobre psicanálise e literatura no Instagram @claricenodiva. Mediadora do Leia Mulheres-Juiz de Fora.*

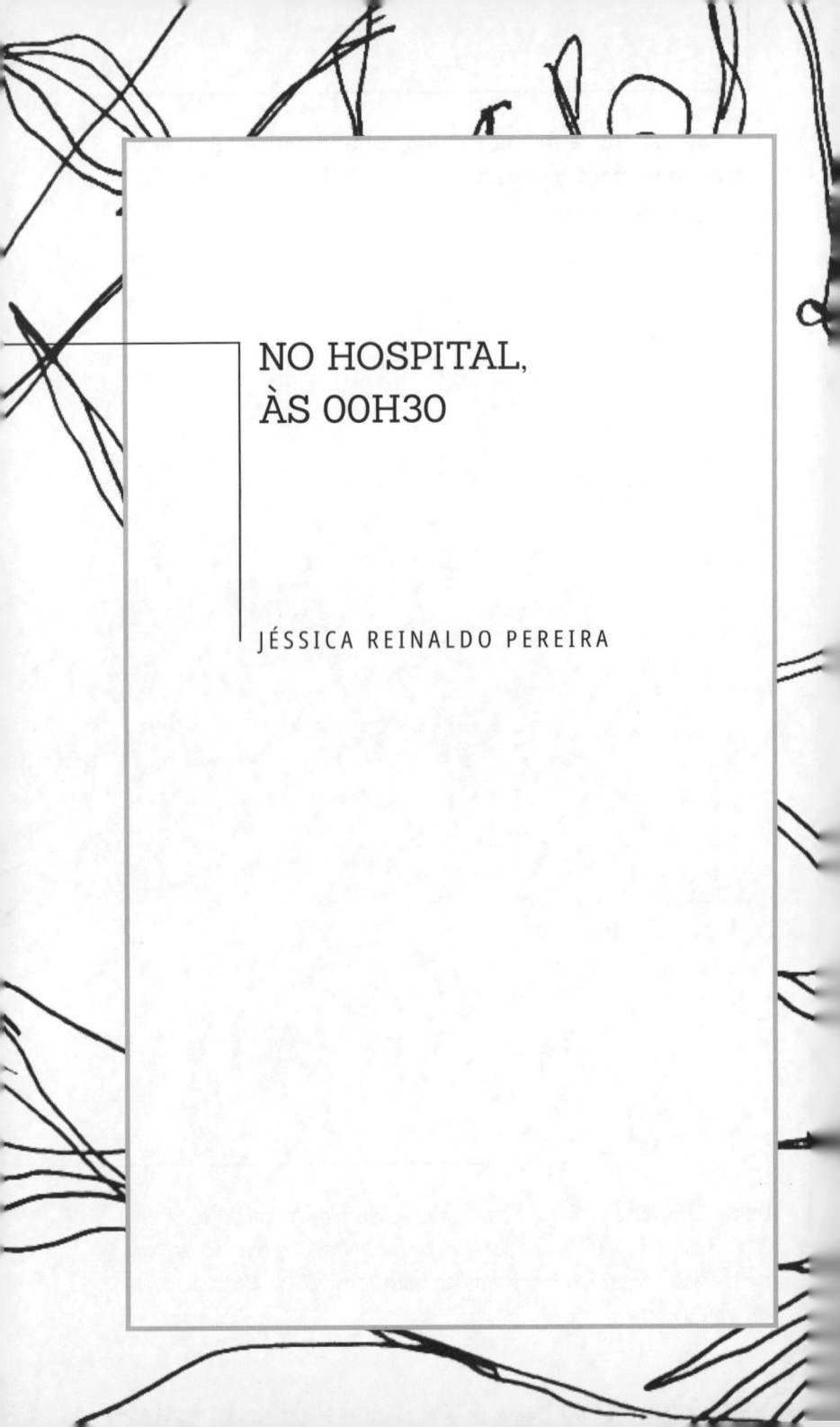

NO HOSPITAL, ÀS 00H30

JÉSSICA REINALDO PEREIRA

NO HOSPITAL, ÀS 00H30

O clima era frio naquela noite. Maria aguardava no quarto, enquanto eu ia até a máquina de café. Já não aguentava mais ficar acordada, depois de tantas horas de aflição. Ninguém sabia o que tinha acontecido, ninguém conseguia me explicar de qual mal súbito Maria havia sido acometida. Mas estava lá, três noites seguidas no hospital, entre acessos de febre alta e gritos assustadores. Sua saúde parecia bem depois de tantos exames, mas os acessos não diminuíam.

Já passava das 23h. Liguei para minha mãe, conversamos alguns minutos, mas algo chamou minha atenção e tive que desligar. Havia um senhor sentado, olhando longe, pensando em alguma coisa. Tinha uma expressão neutra e não parecia afetado pelo ambiente horrível do hospital. Se estava ali com alguém ou se havia chegado há pouco, aguardando alguma coisa, não dava pra saber. Me sentei ao lado dele, que permaneceu inabalável. Eu não estava com paciência nenhuma para conversa fiada, mas também estava sozinha nem fazia ideia de quanto tempo, então ver outra pessoa que não fosse um médico era bom.

— Boa noite. O senhor quer um café?

Ao mesmo tempo ele se virou para mim e, muito simpático, sorriu.

— Eu não bebo mais café, moça. Parei alguns anos atrás. Sinto falta, mas foi melhor pra minha saúde.

— O senhor tem alguma alergia a café? A cafeína? Algumas pessoas me disseram pra diminuir a quantidade, mas não consigo.

— Ah, não, não. Nenhuma causa médica. Mas já tenho muitas dificuldades para dormir. Prefiro chá, ultimamente.

Um grito no final do corredor. Eu nem corri pra ver quem era, pois já sabia. Maria estava tendo outro ataque, e ninguém se surpreendia. Nas últimas duas horas foram três.

O senhor não pareceu se incomodar, e olhei para ele com certa confusão. Ao perceber, ele me respondeu, sem que eu tivesse perguntado:

— Os gritos não me assustam mais. Não deveriam te assustar também.

Achei estranho, mas permaneci sentada. Eu não tinha pra onde ir, de toda forma. Se saísse dali, teria que ir ao quarto de Maria.

Maria e eu éramos amigas inseparáveis nos últimos três anos. Estávamos sozinhas em uma cidade estranha, e precisávamos nos apoiar. Nós duas saímos da casa de nossos pais para trabalhar e estudar em outra cidade. Nos conhecemos na internet e resolvemos morar juntas.

Maria nunca havia se queixado da saúde. Era uma mulher saudável, fazia tudo sem reclamar nem sequer de dor nas costas. De repente, dias atrás, começou a se incomodar com tudo, ter crises alérgicas, dores de cabeça. Depois veio o vômito, a vista embaçada. Quando a febre e os gritos começaram, achei melhor trazê-la ao hospital, já que ela quase não tinha mais forças para ir contra essa decisão. Maria sempre foi cabeça dura.

Havia ligado na noite anterior para a mãe de Maria, e comentado sobre o resultado dos exames. Pelo que eu conhecia da mãe de Maria, que já nos visitou algumas vezes, ela era uma mulher muito tranquila, que pensava sempre na providência divina antes de qualquer outra coisa. Ficou preocupadíssima com a filha e se pôs a rezar desde então. Me disse que se Maria não melhorasse até amanhã, viria nos ver, já que seu marido e pai de Maria chegaria hoje de uma viagem de trabalho.

Enquanto eu pensava em tudo isso, o senhor permanecia com o olhar perdido ao meu lado. Ele parecia aguardar alguma coisa, mas não parecia ser uma pessoa, pois o barulho dos médicos e enfermeiras no corredor não o afetavam de jeito nenhum. Ele nem se mexia. Ele aguardava alguma outra coisa.

Cochilei por alguns minutos e ouvi outro grito no final do corredor, mas ao abrir os olhos percebi que não era real. Acordei assustada com um grito que ouvi no sonho. O corredor estava vazio, o senhor já não estava sentado ao meu lado, tudo parecia tranquilo e calmo como não estivera antes, em nenhuma noite anterior. E isso era estranho. Estávamos, afinal, em um hospital. Até poucos minutos antes o corredor tinha vários médicos passando, barulhos de aparelhos, pessoas conversavam. Tinha até uma quantidade razoável de pacientes naquela ala, Maria não estava sozinha naquele imenso corredor. O que estava acontecendo?

Raciocinei em poucos segundos e percebi que não tinha acordado. Me levantei, fui até um interruptor testar se ele acendia ou apagava alguma luz, aqueles testes para saber se estamos ou não dormindo e sonhando. Ao apertar o botão, uma luz apagou. Ao apertar novamente, ela se acendeu. Eu estava realmente acordada? Onde estava todo mundo?

Percebi que era pouco mais de 00h30. Ouvi passos apressados no corredor e fiquei tensa. Eu estava meio preocupada antes, mas o barulho daqueles pés no corredor vazio de um hospital após a meia-noite me fez tremer e começar a suar. Porém, ao olhar para a porta, percebi a médica responsável pelo caso de Maria.

— Você parece ter visto um fantasma, o que aconteceu? Está passando mal? Faz alguns dias que você não dorme bem, não é melhor ir para casa?

— Me desculpe, doutora. Eu me assustei. Cochilei alguns minutos e não tinha ninguém aqui. Onde foi todo mundo?

— Oras, não precisa se preocupar. Houve uma emergência no andar debaixo, os enfermeiros de plantão precisaram ir até lá ajudar. Eu vim dar uma olhada rápida na sua amiga, mas já estou voltando para lá. Se quiser continuar dormindo, não tem problema ir até o quarto dela e dormir na poltrona. Você não vai incomodá-la.

Eu sorri e agradeci, mas a verdade é que eu não aguentava mais ficar dentro daquele quarto. Tinha dormido ali nas outras duas noites. Eu queria que Maria ficasse boa, que voltássemos pra casa, que eu não tivesse que pisar mais um segundo em um hospital pelo resto da minha vida. Nunca gostei desses lugares, tinham sempre um clima pesado.

Devo ter cochilado novamente quando percebi movimentação em um dos quartos. Mas não era uma movimentação normal, de passos e pessoas andando, parecia que alguém abria e fechava as persianas de maneira violenta, como se obrigasse alguma coisa a sair dali. Talvez uma mariposa ou borboleta presa?

Quando me levantei da posição desconfortável em que eu estava sentada senti uma pontada de dor absurda em minhas costas. Era como se o ambiente me obrigasse a permanecer sentada, como se não fosse para eu xeretar o que estava acontecendo naquele quarto. Não que eu realmente quisesse ir até lá, mas alguém estava colocando aquela cortina abaixo. Quando me movi novamente, o barulho cessou e eu já não sentia mais dor alguma.

A dúvida entre me levantar e ver o que estava acontecendo ou permanecer no meu lugar e não me meter com o que quer que estivesse fazendo aquele barulho até poucos minutos atrás era enorme. Queria saber como Maria estava, mas queria me manter quietinha, tudo aquilo era estranho demais. Novamente o corredor estava silencioso, eu não ouvia o som dos barulhos que as máquinas de hospitais fazem geralmente, não ouvia som de pacientes, parecia que todos tinham ido para casa e desistido de tudo. Era uma ideia tentadora para mim naquele momento, porque eu sabia que tinha algo errado acontecendo.

NO HOSPITAL, ÀS 00H30

Fui, então, ao quarto de Maria. Maria não estava em sua cama, o quarto estava arrumado, não tinha sequer sinal de que alguém estivera internada ali por dias. Minha apreensão crescia e era como se eu tivesse tomado um soco no estômago. Comecei a correr pelos corredores do hospital, tentando descobrir o que estava acontecendo. Olhava todos os quartos, todos eles estavam vazios e arrumados. Eu não encontrei um médico durante os vinte minutos enquanto corria naqueles corredores.

Eu desisti. Me sentei novamente, chorando, me perguntando o que estava acontecendo, se eu estava enlouquecendo, se alguém poderia me explicar que brincadeira sem graça era aquela que estava fazendo com que eu perdesse a sanidade, perdendo noites de sono.

Quando me dei conta, aquele senhor estranho de horas mais cedo estava sentado ao meu lado. Fiquei assustada mas não consegui colocar em palavras as perguntas que queria fazer. Ele falou em uma voz muito calma:

— Você deveria voltar para casa, minha filha. Aqui não é lugar para você. Você ainda não está pronta para entender com o que você está lidando. Quando entender, você poderá me encontrar neste mesmo lugar.

Acordei num sobressalto. De alguma forma, após conversar com aquele senhor, desmaiei, e quando acordei já estava em casa. Levei um ou dois minutos para processar o que estava acontecendo. Me levantei e corri para encontrar Maria. Nosso apartamento era pequeno, mas parecia ainda menor, de repente, de alguma forma.

Ao sair pela porta percebi que estava em uma kitnet. Não havia outro quarto ali. Todas as minhas coisas estavam em casa, mas não havia sinal de nada de Maria, nada que comprovasse que ela estava ali. Nem o quarto dela na casa estava lá. Eu estava sozinha.

Peguei meu celular, procurando pelo contato de Maria, nossas fotos, momentos que estivemos juntas, e não havia nada. Procurei em todo os cantos daquela minha nova casa, sem Maria, sem uma parte da minha vida. Foram três anos morando ali com outra pessoa, como poderia ser?

Liguei para minha mãe. Tivemos uma estranha conversa de que ela não fazia ideia de quem era Maria, que tinha me mudado sozinha para aquela kitnet três anos antes, que era uma kitnet pequena demais para dividir com outra pessoa, que quando eu quis adotar um gatinho ela tinha me dito que não era uma boa ideia pelo tamanho do local. Meu desespero crescia a cada momento. Olhei o celular novamente procurando o contato da mãe de Maria, que eu tinha ligado no dia anterior, e nem sequer tinham números discados no meu celular.

Eu estava apavorada.

No dia seguinte meus pais apareceram na minha porta. Minha mãe percebeu que eu não estava passando bem e veio me buscar. Disse que estava preocupada, que não era bom que eu ficasse sozinha, e tirei algumas semanas de férias forçadas da faculdade. Ninguém fazia ideia de quem era minha amiga de quarto, me disseram que eu sempre morei sozinha.

Ao organizar minhas coisas para ir com meus pais para nossa casa, encontrei uma foto no estilo polaroid. Maria sorria na foto, comigo ao seu lado, com um gatinho no colo. Estávamos na frente de um hospital sujo e abandonado. Tinha um senhor no fundo da foto. Me lembrei de ter dado boa tarde à ele e ele ter dito "Aqui não é lugar para vocês. Mas logo vocês irão voltar". Como eu não me lembrava disso?

Nas minhas pesquisas não consegui encontrar o endereço do hospital, nem saber quem era aquele senhor, nem como uma pessoa pode ser apagada da vida de outra dessa forma. Todas as noites acordo com um pesadelo, ouvindo os gritos e chamados de Maria naquele corredor escuro que passei três dias acordada – e eu tenho ainda mais certeza agora que estive naquele lugar – e me perguntando o que estava acontecendo. Acordo sempre chorando, olho para aquela foto e sinto que preciso continuar procurando, preciso continuar tentando compreender.

Sinto que coisas muito ruins estão por vir. Sinto a urgência de entender tudo, antes que coisas piores aconteçam.

Jéssica Reinaldo Pereira *é formada em história, se apaixonou pelo terror durante a faculdade. Hoje escreve e pesquisa sobre o assunto, com foco na produção feminina.*

ESPERA

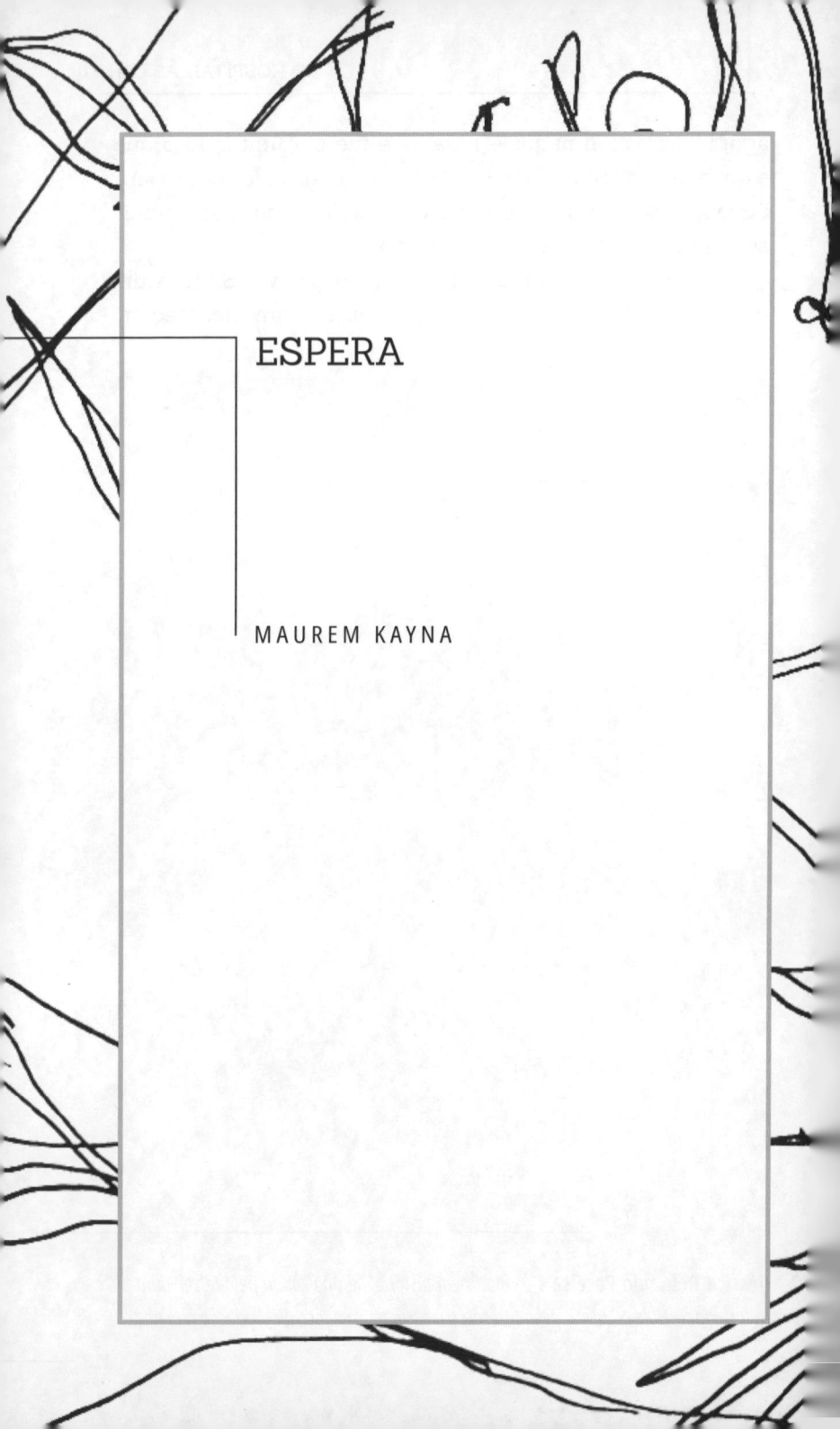

MAUREM KAYNA

ESPERA

Considerou o risco de que alguém dentro do elevador soubesse que no terceiro andar havia apenas o laboratório e a clínica de oncologia. A avaliação dessa possibilidade se deu em segundos, poucos o bastante para que o gesto de apertar o quatro no painel não contivesse nenhuma sombra de hesitação — só conseguiu pensar que descer escadas lhe parecia mais cômodo que subir. Ao eliminar o perigo de que o senhor de terno cinza ou a moça com tailleur azul lhe dedicassem um olhar de piedade enquanto a porta se abria para que ela enfrentasse o diagnóstico ou o tratamento, arrumou a franja, afetando naturalidade em frente ao espelho.

Enquanto a tela embutida na parede de aço escovado informava a previsão do tempo, Marília se lembrou do que havia lido sobre os últimos desejos de quem estava ciente da morte próxima. A porta se abriu e somente ela desceu naquele andar, libertando-se da vigilância das senhoras elegantes e dos homens engravatados — odiava gravatas, aliás — para ficar a sós com o ruído dos seus solados contra o piso de porcelanato acetinado. Contou quatro passos até estar certa de que o elevador já reiniciara o seu percurso e então girou nos calcanhares.

A porta corta-fogo se apresentou como um bloco de rocha que exigiria grande força para ser removido, mas, com uma leve pressão na barra antipânico, a chapa metálica com pintura recente recuou sem barulho, oferecendo um breve alívio.

A iluminação tímida da escadaria era tão acolhedora que Marília teve vontade de se demorar ali; como se um adiamento equivalesse a salvo-conduto. Sentou no meio do primeiro lance, procurou na bolsa o tíquete para retirada do exame e voltou a remoer a conclusão da pesquisa que tinha lido na internet. Não, não é que duvidasse do resultado, apenas não conseguiu encontrar em si o mesmo ímpeto das pessoas que, na iminência da morte, fosse por doença terminal, naufrágio em curso ou pane no avião, só conseguem pensar em dizer do seu amor àqueles que amam. Essa obsessão por declarar o afeto a fez pensar nas aulas de microbiologia, quando o professor falou de fungos e vírus e do suposto "desejo" das cadeias de DNA de se replicarem. Comunicar o amor a alguém como despedida era, para Marília, um modo desesperado de permanecer na memória ou no remorso desse alguém. Depois, tentou simular a própria reação — pois se sentia exatamente assim, mesmo sem ter em mãos o resultado do teste — imaginando uma ligação desesperada durante um sequestro, para não pensar em internação na unidade de cuidados paliativos ou no momento de partilhar o resultado do teste e a necessidade de explicar o motivo de tê-lo feito — e concluiu que não teria para quem ligar, apesar do carinho pelo marido e do afeto pelo avô, único parente que lhe restava. Então, pensou no único amigo a quem poderia ligar e confessar a tristeza vaga que significava não amar e saber do fim dali a pouco.

Mas ainda não estava em posse da condenação. Ergueu-se e desceu os degraus restantes, enfrentou outra porta-rochedo e deparou-se com o corredor excessivamente iluminado. Notou o tremor das mãos ao entregar o papelzinho um pouco amassado à moça instalada sob o letreiro "entrega de resultados".

A menina com o uniforme verde levantou os olhos para Marília antes de impulsionar a cadeira de rodinhas até o arquivo, de onde resgataria a sentença. O olhar foi recebido como uma acusação, como se a atendente buscasse em seu rosto um sinal de culpa, algo que a fizesse merecedora de um possível resultado positivo. Marília sentia frio, mas o rosto parecia incêndio. Recolheu o envelope das mãos quase infantis e deu as costas, agradecendo nem sabia o quê.

Escondeu-se novamente nas escadas, e ali rasgou o envelope, amaldiçoando as horas passadas com o aluno de olhos acesos e cheiro de mato, acusando-o e quase agradecendo a rápida evolução da doença dele. Antes de desdobrar o papel timbrado, decidiu que não contaria nada ao marido, melhor prosseguir com a ruína do convívio por algum tempo, até a inevitável separação, sem obrigá-lo a cuidar de sua decadência ou assumir o peso de abandoná-la. No pé em que estavam era muito provável que ele não tivesse sido contaminado, então seria inútil piorar tudo atraindo sua raiva ou piedade.

Os olhos tropeçaram várias vezes nas palavras desnecessárias do laudo antes de chegar ao veredicto tranquilizador. Então, esvaziada, como nuvem que entrega ao chão sua tempestade, escorregou até o granito da escada, abraçando os joelhos, arrependida da raiva dedicada ao jovem que fez sua pulsação acelerada e colorida em certas tardes de chuva — e até perguntou-se sobre a coincidência do mau tempo em todos os encontros que tiveram — enquanto planejava o abraço de saudade que o marido receberia ao regressar de viagem. Guardou o resultado dentro da agenda e resolveu descer pelas escadas, procurar por um sorvete de qualquer fruta exótica e depois ir visitar o avô no antiquário.

Entrou na loja quase esbarrando na bandeja de porcelanas que estava exposta sobre a mesa alta com a qual sempre implicava — dizia que o tampo de mármore lembrava uma lápide, e que os pés de madeira trabalhada pareciam aqueles suportes para vasos que havia na capela que frequentavam quando era criança. Arthur estranhou a visita e o convite para jantar — assim, sem nenhuma data comemorativa? O rosto corado da neta, no entanto, o animou. Abraçaram-se e antes da despedida ele perguntou se finalmente receberia a notícia pela qual esperava há tanto tempo. Marília negou em tom divertido, mas a decepção do avô lhe pesou.

Enquanto fazia as compras para comemorar uma sobrevivência da qual somente ela estaria ciente, lembrou novamente do amigo — Virgílio — e se envergonhou. Ele provavelmente lhe diria para aproveitar melhor a oportunidade de estar viva, saudável e não precisar de pensão do marido; poderia separar-se sem maiores explicações e encontrar outras alegrias como as que Murilo havia propiciado. Que argumento teria para lhe dizer qualquer coisa em contrário?

Escolheu as berinjelas mais vistosas, os pimentões de tonalidade mais viva e o tomilho fresco. Para Armando, que não gostava da sua especialidade vegetariana, decidiu-se por peixe.Em casa, ao largar as compras na cozinha, a euforia de saber-se com sorte cedeu espaço ao raciocínio de que o marido acharia ainda mais estranho que seu avô o jantar em pleno dia de semana, sem razão concreta, justo no dia em que voltava de viagem. Vacilou enquanto desfazia o embrulho de papel grosso onde o peixe repousava sobre a camada de gelo, mas não podia voltar atrás. Não podia e não desejava, porque lhe pareceu inaceitável perder seu festejo para o hábito de explicar cada passo que dava, sempre esperando o questionamento ou a acusação de um e outro.

Acomodou os ingredientes nas louças de estimação — uma coleção de peças de diferentes cores, formatos e materiais que o avô ajudara a formar, reservando para ela uma parte do que o antiquário recebia de herdeiros indiferentes às histórias acumuladas nas porcelanas e faianças. O ruído de talheres, panelas e louça fez Marília reviver a satisfação que sentira mais cedo no Mercado Público, ao passar pelo burburinho de pessoas concentradas em seus trajetos e compromissos. Gostava de atravessar a massa de gente em movimento sentindo-se invisível, façanha que conseguia sem dificuldade por conta da discrição das roupas e da habilidade de nunca interromper o percurso de ninguém mesmo nos dias em que os guarda-chuvas travavam verdadeiras batalhas pelas calçadas. Hoje o tempo não era obstáculo, o sol corroborava cada passo, mas havia as sacolas de compras e a volumosa eletricidade de sentir-se vencedora de um perigo inominável. Mesmo assim, ela caminhava como se calçasse a areia de uma praia calma.

O sal moído sobre as fatias da berinjela atiçou lembranças do dia em que o sensor de movimento instalado na porta de entrada do departamento a alertou da chegada de um aluno — já que os demais professores costumavam entrar pela porta lateral e não pela recepção. Era Murilo, que viera devolver a revista emprestada por ela na semana anterior.

A expressão de surpresa no rosto de Marília fez com que Murilo perguntasse se ela havia duvidado de que ele devolveria a revista. Ela negou, prontamente, e sem saber como reagir quando ele lhe estendeu também o exemplar de *A cor do invisível* como uma retribuição à gentileza do empréstimo, inventou que já havia procurado pelo livro em sebos e na biblioteca e não o havia encontrado — instantaneamente corou com a mentira. Ele comentou com voz apagada que trouxera o livro para que não continuasse jogado num canto da pensão onde morava, perguntara antes à dona da casa a quem pertencia, e como ela respondeu que alguém havia esquecido ali havia anos, não teve constrangimento em recolhê-lo.

Marília percebeu a despedida de Murilo como a de alguém que tenta se desvencilhar de uma situação embaraçosa e corou outra vez, pensando no julgamento equivocado que ele poderia fazer de suas atenções. Agora ria de si mesma, pois ele não havia se enganado com ela, apenas percebera antes a eletricidade que os aproximaria sem que pudessem ou quisessem evitar.

O telefone fez Marília dissipar os devaneios que já eriçavam seus apetites. Armando queria saber se ela o buscaria na rodoviária e pareceu aborrecido com a notícia do jantar com Arthur e por ter de tomar um táxi. Ela não deu maior importância ao seu protesto, prometendo que o cardápio seria uma recompensa; e pedindo que, se ela estivesse no banho quando ele chegasse, que ligasse o forno para ir adiantando as coisas.

Armando entrou pela cozinha e ouviu o barulho do chuveiro. Ligou o forno antes mesmo de levar sua mala para o quarto e ao passar pela sala notou o vaso com flores frescas — há quanto tempo Marília tinha deixado de lado aquele costume de quando casaram? — e ao se aproximar do arranjo com lírios e frésias, viu a bolsa de Marília no sofá, de onde o envelope do laboratório de análises clínicas despontava. De repente tudo parecia perfeitamente explicável — as oscilações de humor da mulher, um jantar surpresa com a família que lhe restava, as flores. Depois de tanto desentendimento quanto à decisão de terem filhos ou não ela mudara de ideia e se preparava para anunciar o fato. Não se deu ao trabalho de fazer contas sobre a viabilidade da notícia e procurou conter a euforia para não desmanchar a surpresa da esposa.

Marília vestiu um vestido de estampa indiana que escorria pelo corpo e ao invés do costumeiro alerta de Armando sobre o inconveniente de deixar os cabelos molhados (porque isso poderia facilitar uma crise de sinusite que a deixaria prostrada), abraçou-a com saudade sincera. Ela retribuiu com a alegria que não vinha senão do contentamento de estar viva e pediu que ele tirasse a gravata. Beijaram-se sem fogo e foram interrompidos pela campainha.

A mesa posta sem pompa recebeu a família enxuta para uma refeição toda feita de leveza, mas a alegria imprevista de Armando e os olhares significativos entre o avô e o marido intrigaram Marília. Mesmo disposta a afastar qualquer preocupação que desbotasse sua euforia, obrigou-se a sondá-los, mas não precisou de muito tempo. Foi quase por acidente que seu olhar topou com a própria bolsa jogada no sofá — o envelope da clínica parecia querer saltar para fora da bolsa. No curto percurso até a cozinha, onde o sorvete seria coberto com uma farofa de castanhas e açúcar mascavo, avaliou os semblantes de um e outro e teve certeza de que o conteúdo do envelope era ignorado — Armando nunca fora do tipo xereta. Antes que terminassem a sobremesa e o café, Marília teria de avaliar as rotas de fuga mais seguras, mas tinha completa certeza de que em nenhuma delas cabia a cena do telefonema desesperado para alguém que pudesse carregar o fardo de sua falta de paixão.

Maurem Kayna *é engenheira florestal, flamenca e convicta de que a literatura tem poder de abastecer a vida e mover rumos. Mediadora do Leia Mulheres Porto Alegre e Leia Mulheres Guaíba.*

UMA MULHER OLHANDO UMA ÁRVORE

JULIA CODO

O conto começa com uma mulher olhando uma árvore. A mulher é alta, tem os cabelos longos e crespos; usa um vestido verde. O ar está abafado, e o dia transmite certa inquietude, dessas de fim de manhã, quase tarde. Às vezes, ela alterna o olhar entre o tronco velho, que parece a pele do rosto de um ancião, e a copa, que muda de cor conforme a luz do sol e se move como um monstro peludo. Há roupas no varal, e ela pensa em sair de casa, sempre com os olhos fixos na árvore. Eu lia no metrô, mas eram apenas quatro estações e não tive tempo de seguir na história. Precisei fechar o livro para agarrar-me em uma das colunas engorduradas do trem e sair desequilibrada pela porta da direita.

Depois de um dia de trabalho disperso, interrompido tantas vezes pelo pensamento na mulher e na árvore, voltei para casa de ônibus; queria poder olhar pelas janelas. O que ela fazia ali? Por que olhava a árvore? O veículo lotado, como de costume, não permitia que tivesse mãos para sustentar o livro, por isso decidi dedicar-me a procurar árvores pelo caminho. Suas sombras sobre os muros manchados, seus ramos se confundindo com a fiação elétrica, o surgimento abrupto de algum galho, as raízes dando um jeito e vencendo o calçamento: tudo isso eu escrevia com os olhos. Selecionei algumas delas e memorizei seus detalhes – 1. folha arredondada, tronco fino; 2. folha pontuda, raízes quebrando o asfalto; 3. tronco longo, flor amarela –, porém não havia sol, nem vento, e não encontrei nenhuma árvore que fosse como a do conto. Pensei na pilha de papéis sobre a mesa e logo em como precisava de mais tempo para aquelas outras fibras de celulose; os encontros com a mulher de verde e a árvore peluda.

Após lavar os pratos e quebrar uma xícara, quis sentar-me na poltrona ao lado da janela e olhar os prédios e os carros lá embaixo na avenida; não havia árvores. Antes tinha cuidado para que tudo em volta estivesse limpo e organizado, perfeito; então, finalmente pude abrir o livro: senti a textura de suas páginas, observei suas linhas. A mulher olha as folhas da árvore balançando. Tenta observar, de longe, as linhas e o desenho geométrico de cada folha; seus cabelos às vezes se movem junto com a copa, e ela acaba de assar um frango. Olha a árvore pela janela e pensa que, embora ela seja grande, daquele ângulo parece pequena, muito pequena, sobretudo quando a compara com a samambaia sobre o aparador. Ela parece às vezes se assustar com o movimento e às vezes gostar da árvore, o que a faz querer sair da casa para observá-la mais de perto, mas não sabe se deve fazê-lo. Olha o relógio pendurado no canto superior direito e decide abrir a porta. Giro a maçaneta, que custa um pouco a girar porque minhas mãos estão suadas. Caminho até a árvore – passos que minhas pernas entendem, mas minha cabeça, não – e, mais perto dela, toco seu tronco. Em seguida, pego uma das folhas e a apalpo; é grossa e fosca. Simples, do tipo reticulada, mas agora o desenho parece menos geométrico e muito mais assimétrico. Estou descalça e sinto também a grama nos pés e o ar quente no rosto. As crianças devem chegar logo da escola, e já está quase tudo pronto, mas preciso pôr a mesa. Não quero voltar para dentro da casa; penso em esquecer tudo e ficar ali, presa ao odor nauseante de planta, mas começo escutar, distante, o som do celular tocando, até que ele se torna presente demais, e tenho que me levantar.

Tentei voltar à leitura, mas dessa vez estava desconcentrada e, aos poucos, comecei perceber que o conto não tinha história e nada acontecia: era apenas sobre uma mulher olhando uma árvore, assando coisas no forno e pensando em folhas ou coisas sem importância. O livro havia ficado aberto sobre a poltrona, e uma página estava erguida; parecia estar sentado, olhando a janela e o que se via através dela. Já era tarde, e meus olhos começavam a querer se fechar. Fui me deitar por volta da meia-noite.

Acordei assustada com um ruído. A árvore, dentro do quarto, ventando. Suas folhas tocam devagar as paredes, ora de um lado, ora do outro, o que faz balançar também o lustre pendente, batendo uma lâmpada contra a outra. O ruído incomoda, e me pergunto o que estariam pensando os vizinhos. Algumas folhas caem sobre a cama; agarro uma delas. Depois fecho os olhos e me vejo sorrindo.

Julia Codo *é editora, escritora e tradutora. Costuma se perder pelas ruas e ler no metrô; às vezes desce na estação errada.*

OS OLHOS
DO PAI

FERNANDA FONTES

OS OLHOS DO PAI

Os olhos de Gabriela são iguais aos de seu pai: escuros, pequenos e silenciosos. Quando ela nasceu, todavia, todos diziam o contrário, que seus olhos se pareciam com os meus: claros, grandes e agitados. A mudança foi ocorrendo aos poucos, logo depois da morte dele, como se a saudade e a falta que ela sentia invadissem seu pequeno corpo e lhe tomassem os olhos como garantia de que nunca se curaria.

Gabriela não era muito apegada ao pai, mas depois que ele morreu começou a conservar em si uma adoração profunda; nunca deixou que eu me livrasse de seus objetos, nem mesmo de suas roupas, e ainda hoje não consegue dormir sem que esteja abraçada à camisa favorita dele.

Ela nunca me perdoou pela morte do pai, me acusa constantemente de tê-la causado e se recusa a qualquer tentativa minha de lhe dar carinho. É difícil dizer isso, mas há vezes em que só consigo respirar bem longe dela.

Gabriela é uma ingrata. Ama o falecido pai com a devoção de um ídolo, como se algum dia ele tivesse cuidado dela, como se tivesse se importado com ela no dia em que pulou da janela sob o seu olhar.

É tão fácil amar o pai que já se foi, e que por isso não a repreende, e me acusar, justo eu que permaneço a seu lado, que a educo, que cuido dela quando está doente, que tenho dois trabalhos apenas para pagar as contas no fim de mês. Muito fácil amar o pai, imagem estática de um deus morto, enquanto me acusa de louca por tomar tantos remédios, logo eu que preciso tanto dos remédios para sobreviver. Logo eu, que me esforço em sobreviver apenas por ela.

E por acaso Gabriela sabe de fato alguma coisa sobre ele ou apenas cultiva uma memória distorcida pela saudade? O que ela é capaz de lembrar dele, que brincava tão pouco com ela? Que de tempos em tempos sumia e nos deixava sozinhas, sem saber de seu rastro? Se Gabriela se lembrasse do pai, do jeito que de fato era, se lembraria apenas de um bêbado. Se lembraria apenas dele gritando. Se de fato se lembrasse de como ele era, Gabriela preferiria esquecer. Mas a ficção é para ela mais agradável, e ela sempre acaba por cultuá-lo enquanto fixa seus olhos acusadores em mim.

E talvez ela esteja certa e de fato eu tenha causado a morte dele, mas não me arrependo. Eu não tinha obrigação de permanecer em um relacionamento instável e infeliz, e não podia ceder toda vez que ele ameaçava tirar sua vida quando eu falava em ir embora.

Além disso, eu tinha o direito de amar de novo e amei. Pode não ter sido nada além de uma farsa que durou apenas até essa história de suicídio revirar a minha cabeça e me levar para o fundo do poço, mas eu tinha esse direito e não tenho culpa de tê-lo exercido.

Para Gabriela, porém, minha culpa é absoluta. Para ela, nenhum argumento basta, é como se eu tivesse jogado seu querido pai da janela do décimo quinto andar. Não importa quanto eu chore e me descabele, para ela sou a única culpada. Um dia ela será capaz de ver que seu pai não morreu por me amar, mas porque era incapaz de me ver feliz; morreu para amaldiçoar minha vida por todo o sempre com a imagem de seu corpo despedaçado. Ele não morreu por tristeza, morreu por vingança, tanto de mim quanto dela.

Toda quarta-feira vou para a psicóloga e conto essa mesma história, e ela sempre tenta, com alguma delicadeza, indagar:

— Mas como você pode dizer que sua filha te culpa se ela tem apenas dois anos e mal sabe falar?

Talvez até haja lógica nesse pensamento, mas eu sou a mãe e consigo ver tudo quando ela me olha. E ela tem os olhos do pai.

Fernanda Fontes *é professora de português, escritora de gaveta e amante de gatos. Mediou durante dois anos o Leia Mulheres de Sorocaba e lançará um livro logo quando descobrirem a cura definitiva para o mal da procrastinação.*

SINFONIA

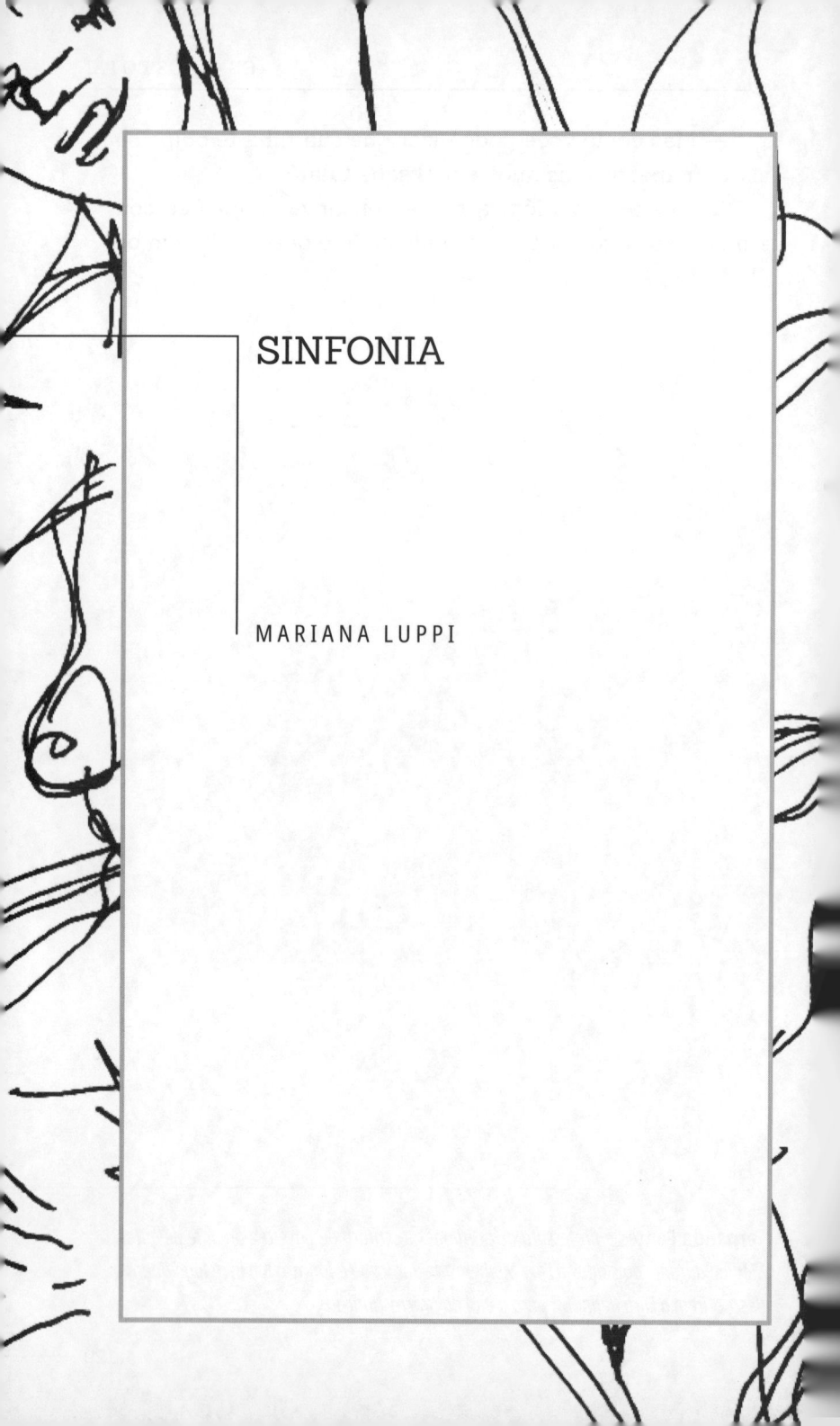

MARIANA LUPPI

Sonho n° 1

Numa clareira, em meio a uma floresta fechada. Um pouco o sol tocando-lhe a pele e um forte odor doce de flores. Não via flores, só borboletas, que do nada arrastavam-na ondulando para uma trilha entre as árvores tropicais. Seguiu com elas, rapidamente o coração pesou. Tinha esquecido algo. Foi travando os pés, virando o corpo, e entrando em luta angustiosa com as borboletas, que começavam a voar violentamente contra seu rosto. Conseguiu ver ao longe um facho de sol sobre uma pessoa. Sentado numa pedra, seu ex lia um caderno fúcsia. Sorriu, levantou-se largando o caderno e estendeu-lhe a mão esquerda, como que para tirá-la para dançar. Ela esticou a sua também, mas estava longe e por mais que esticasse não conseguia chegar.

O sonho ainda a perturbava na manhã seguinte, enquanto engolia café amargo e beliscava bolachas com manteiga. Fazia anos que não via Rodrigo, não entendia como aparecera em seus sonhos sem nenhum estímulo ou gatilho exterior. Cansou de tentar entender. Resolveu encher de novo a xícara e acender o celular, para rolar sem muita empolgação as redes sociais. As notícias se repetiam e repetiam, e as pessoas em geral pareciam também iguais.

Quase perdeu a hora lendo uma história sobre a mulher que doou um rim para um desconhecido — acabaram casando. Ainda sob a forte impressão de que era a pessoa mais egoísta do mundo, entrou no chuveiro e saiu em menos de cinco minutos.

Não ia poder secar o cabelo, mas parou de penteá-lo pela metade para atender ao chamado do celular, duas notas em segunda maior: mensagem de texto.

Bom dia, querida, tem que buscar seu irmão esse sábado, ligaram aqui agora há pouco.

Balançou a cabeça.

Não tem outra pessoa pra ir com vc?

Voltou a correr de um lado para outro, pentear, vestir, recolher papéis, chaves, carteira. Um pouco de maquiagem, saltos na bolsa, sapatilhas para pegar o ônibus. Só depois de passada a catraca resolveu olhar a resposta da mãe:

Não vou, querida, estarei recebendo visita ;)

Nem respondeu a falsa simpatia. Ia perder o fim de semana.

Reorganizou sua agenda, distraída, durante o horário do almoço, enquanto comia um sanduíche que entregaram no escritório. Teria que acelerar a revisão do carro e cancelar o café com a supervisora do DPM.

No fim do dia, por sorte, tinha terapia. Falou quase uma hora do ex-namorado, como se sentia responsável por ele ter abandonado a faculdade (de que ele nunca gostara), mas que agora era casado com uma moça que conheceu num dos cursos de massagem. Nem se falavam mais porque há tempos ela resolvera dar uma limpa nas relações.

Sonho n° 2

Uma festa com luzes coloridas e música alta. Sentada no bar olhava as pessoas. O barman colocou uma bebida fluorescente em sua taça. Sabia que era ilegal, porém precisava daquilo. Bebeu de um gole e sentiu a cabeça girar. Tentou recuperar o prumo. As pessoas giravam. Uma figura alta se aproximou. Seu pai vestido todo de preto. Virou para cumprimentá-lo mas quando sorriu sentiu seus dentes soltando das gengivas. Caíram no chão, mesmo com seu esforço para mantê-los na boca. O pai ria sonoramente. Saiu correndo para o banheiro, só que atrás da porta havia um galpão muito amplo. Corria, a mão tapando a boca, buscando em vão o banheiro, o espaço tornando-se cada vez mais amplo.

— Preciso do carro para sábado... Nem sei por que estou discutindo, só quero a manutenção do prazo original. Não... Claro que não!

Estava na terceira xícara de café. Não conseguira voltar a dormir depois do sonho. Ficou revisando tabelas de vendas, único trabalho que conseguia fazer no estado de semiconsciência em que se encontrava às cinco da manhã.

— Certo, certeza que vai estar pronto nesse horário?

Cozinhou uns ovos e fez um suco para evitar tomar mais café. Rolou um pouco as redes sociais. Tentou evitar, não conseguiu: Carlos Ghitani, buscar.

O pai aparecia nas fotos sempre sorrindo, mostrando todos os dentes. Vai ver que é por isso que seus dentes caíram no sonho. Acordou com as mandíbulas doendo, nunca tinha acontecido antes. Ele parecia bem, feliz, cada foto em uma praia diferente. Sua esposa dez anos mais velha não se comportava como idosa que era — aparecia sempre de biquíni e caipirinha.

Suspirou e mudou de aplicativo:

Vou precisar de uma sessão extra esta semana, se possível hoje.

Ficou esperando a resposta, olhando as reticências aumentarem e diminuírem.

Hoje não é possível. Amanhã no início da tarde tenho um horário.

Anotou na agenda e percebeu que estava de novo atrasada. Banho, cabelo molhado, juntar coisas. Precisou de um pouco mais de maquiagem, as olheiras dobraram em uma noite.

O chefe bem percebeu. Ela conseguiu parecer feliz e empolgada por hora e meia, depois despencou sobre sua poltrona e arrastou-se até a noite.

— Nada mesmo.

O dentista tinha olheiras bem maiores do que as dela e, dada a aceitação de encaixe fora de horário comercial, por certo estava endividado.
— Nenhum sinal de bruxismo? Acordei com as mandíbulas dormentes.
— Pode ter sido um caso único... — Deu de ombros. — Mas talvez fosse mesmo o caso de você passar com um psiquiatra para o nervosismo.

Saiu bufando, a última vez que passara em um psiquiatra ele errou o remédio três vezes e ela perdeu quase um mês de trabalho.

Sonho nº 3
Em uma ampla avenida, lotada de pessoas. Era uma manifestação, desconhecidos carregavam cartazes. Ela não tinha nenhum. Estava sozinha, mas sabia que devia, não era justo o que fizeram. A multidão cantava, ela não entendia os versos, seguia andando com passos curtos, arrastada pela multidão. Ouviu bombas, foi esmagada, a sensação de não conseguir se mexer sufocava-a. Foi empurrada pela correria, prensada contra uma parede. Sentiu alguém puxá-la pelo braço e tirá-la do caos por uma portinha no canto de um prédio. Cambaleando, voltou-se para agradecer a mão estranha e o coração pulou pela garganta: Henrique sorria com as duas mãos sobre seus ombros.

Dessa vez acordara já atrasada, e ainda de sobressalto. Convenceu-se de que seu subconsciente mandara o primeiro namorado chamar para que ela não dormisse além da hora. Mesmo assim teve um ataque de choro no banho, lembrando do dia que recebeu a notícia do acidente. Trocou a chave do chuveiro e deixou a água fria despertá-la.

Só conseguiu olhar o celular já dentro do ônibus, apertada entre um rapaz suado e uma senhora sentada fazendo crochê. A terapeuta confirmara, ao menos.

No consultório já não sabia se falava do pai ou de Henrique. Relembrou dos dois sonhos e ao fim do segundo soluçava de novo. Lembrou que não ligara no aniversário de Henrique aquele ano, mesmo tendo lembrado dele umas três vezes no dia, no meio da aula, durante o estágio, num encontro à noite. Dois meses depois, quando soube do acidente, dormiu uma semana abraçada no livro que não tivera a oportunidade de presentear. Devia ter marcado um café, naquela semana mesmo, se tivesse visto que ele andava de bicicleta sem capacete podia ter dito algo. Perto disso a situação com o pai parecia boba, ela apenas achava que era responsável pelo divórcio: tinha preguiça de fazer tarefas domésticas, não cuidava do irmão, a mãe foi ficando sobrecarregada e o pai, mal-humorado. Ao menos ambos estavam bem agora.

— E você, está bem?

Ela ergueu as sobrancelhas, mas tinha a resposta na ponta da língua:

— Você que é paga pra responder isso.

Sonho nº 4

Na sala de reuniões esperando aquele cliente importante. Sozinha, tentava entender os garranchos de suas anotações. Elevou os olhos e viu seu semi-reflexo nos vidros da sala — estava nua. Ficou de pé rápido, derrubando tudo, e correu para a porta. Atrás dela estava o cliente, que parecia com Henrique (como ela nunca percebera?). Atrás dele, seu pai e Rodrigo, de mãos dadas, riam de alguma coisa. Ela quis saber o que era. Abriu mais a porta e pôs a cabeça para fora sua sala. Ali, no saguão, estava ela mesma, pelada sentada na posição de lótus sobre o balcão. Ela, a que espiava, olhou de novo para os vidros, só que agora não havia reflexo seu, apenas do seu pai, do Rodrigo, do Henrique.

Uma coisa era certa, tinha que trocar de terapeuta. Tentar de novo um psicanalista agressivo, algo tinha que funcionar. Acordara dessa vez no meio da noite, três da manhã. Rolara na cama até desistir. Ligou a televisão, tentou o seriado de comédia online, tentou rádio. Saiu de casa uma hora mais cedo do que o planejado, na madrugada para sábado, só para ver os bêbados se arrastando no ponto. Um deles quase vomitou em seu pé logo depois de ela sentar no único lugar vago no ônibus. Achou que o carro estaria pronto, mas a oficina nem sequer abrira. Conseguiu um café no boteco e sentou no meio-fio olhando as redes sociais.

A amiga de infância emagrecera quinze quilos, o tio distante conseguira um aumento, a irmã daquela colega de trabalho ia casar. Gatinhos pulavam fazendo poses, cachorros davam lição de fidelidade. Suspirou. Sentia-se muito mal ao ver tantas pessoas sendo felizes e sensíveis.

Ainda gritou com o dono da oficina, que precisou de mais meia hora para trocar o óleo, como se isso não estivesse no pedido. Teve também que parar em um posto, comprar três variedades de energéticos para evitar piscar na viagem. Com mais de uma hora de atraso, pisou fundo com esperança de voltar a tempo de um encaixe no salão do shopping.

Tinha algumas horas de estrada vazia pela frente, daquelas distantes dos maiores centros urbanos, a paisagem se repetia, mato, fazenda, mata. Cana, soja, milho. Eucalipto, eucalipto, eucalipto.

O sinal da rádio acabou com menos de dez minutos na estrada. Mantendo sempre uma mão no volante, conectou o celular e colocou no aleatório todas as músicas que tinha. O celular, que ela colocou no painel, equilibrado, piscava em grandes números a data: 10 de julho. Torceu o rosto: como não lembrara a data de buscá-lo? Como isso não estava nem na agenda nem na memória? De fato era quase inusitado sua mãe lembrá-la de qualquer coisa.

Devia lembrar porque era óbvio, o irmão fora internado no seu aniversário. Ela recusou recebê-lo na noite anterior, tinha tantos afazeres, e ele foi parar no hospital na manhã seguinte, quase em coma alcoólico e muito agressivo devido ao uso, a família descobriu então, frequente de cocaína e crack. Ela sabia da onde isso vinha — ele sofrera na escola e cursinho por ser gay, e nunca teve coragem de contar para ninguém. Ela descobrira por acaso e desde então tentava ajudar, pagou psicólogos, mudança de cursos. Nada. Ele ainda se via sozinho e perdido no mundo. Ela não pensara nele por seis meses.

Já perto do objetivo, a sinfonia do Novo Mundo começou e ela foi lembrando da infância e adolescência, sentindo falta do irmão. Engraçado seus sonhos não terem passado por ele. Aos poucos os tons da música foram penetrando-lhe o coração, os solos de sopro lhe dando uma sensação de nostalgia que ela não conseguia identificar, que ela descobria surpresa. Demorou a perceber que estava chorando, não era um choro desesperado, era só água descendo-lhe as faces. Foi criando grande ansiedade para chegar ao destino.

Saiu da rodovia e tomou uma estrada de terra, por sete ou oito minutos, vendo um portal de alvenaria aumentar. Lá ao longe conseguia ver os prédios da fazenda, mas não precisaria entrar, logo percebeu que o pontinho ao lado do portal era seu irmão, magro e com uma mochila gigante. Quando estacionou, desvencilhou-se do cinto e saiu do carro num pulo. O irmão levantou-se do banco de concreto — sorrindo com seu dente quebrado e aquela camiseta fúcsia que ela lhe dera há tanto tempo atrás. Reparou que ele também chorava. Jogaram-se num abraço apertado e ela descobriu de onde vinha a ansiedade e a culpa, no mesmo momento em que elas desapareciam.

Mariana Luppi, *bacharela em filosofia, mestranda em literatura, bissexual, militante feminista e ecossocialista.*

RISADAS

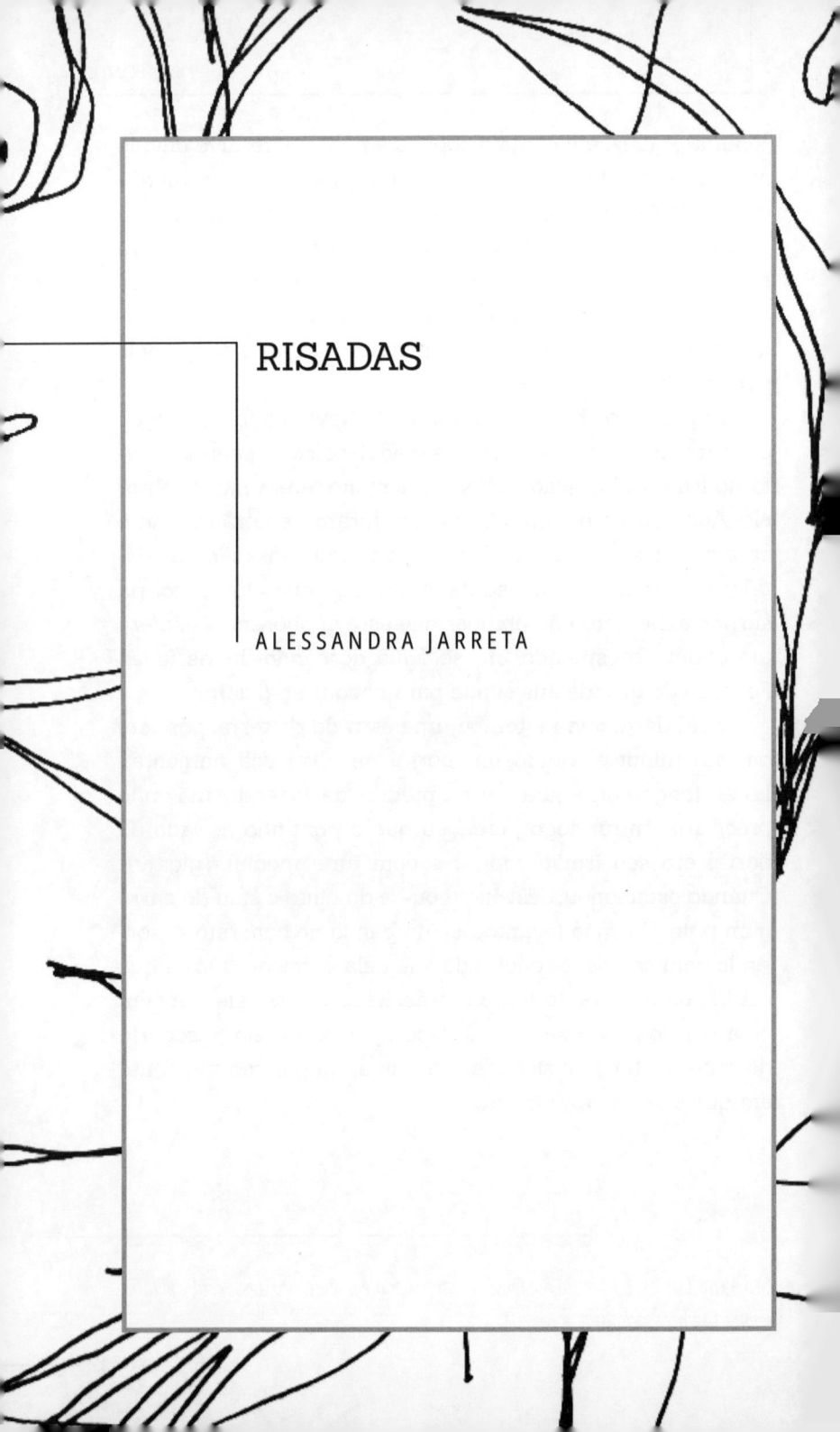

ALESSANDRA JARRETA

Sentada na varanda, sinto a brisa do verão e procuro nas estrelas o lugar de onde eu vim. Não pertenço a este mundo. Não possuo qualquer semelhança com as pessoas que vivem aqui. Procuro evitar lugares lotados — todo corpo é uma ameaça em potencial. Posso resumir minha vida escolar a duas palavras: esconderijo e sobrevivência. O soar do toque era uma pequena vitória e eu, a campeã em recolher minhas coisas e me esgueirar para fora dali.

Nunca fique depois do toque.

Não fiz faculdade. Meus pais saíram para trabalhar um dia e nunca voltaram, e eu sempre morei com a minha avó, que já é bem velha e nunca teve muito dinheiro. Ela cheira a arroz doce com canela, e sua pele é fina e enrugada como a de um filhotinho de rato. Gosto de observá-la enquanto dorme, seu peito subindo e descendo lentamente, como um vulcão soltando os últimos suspiros antes de se extinguir. Nunca poderia deixá-la.

Nossa maior paixão são os livros. Sinto algo vibrando dentro de mim quando penso nesse pequeno mundo em poder das minhas mãos, um mundo no qual sou capaz de avançar rápido ou devagar, voltar quando algo bom acontece, parar se não quero continuar e até rasgar uma folha caso não goste do final.

Consegui um emprego em uma livraria perto de casa, só algumas horas por dia enquanto minha avó afunda em seus sonos profundos de deserto, demorando cada vez mais para acordar. Espano prateleiras e limpo o chão, as louças, os armários e afugento as traças. É cansativo, mas não tem importância porque gosto de estar ali no meio dos livros, acompanhando as novidades e passando o dedo pela tinta seca gravada nas folhas, formando histórias.

As pessoas me incomodavam, mas não diretamente. Nunca me enxergavam. Eu era banco, balde, obstáculo no caminho, uma coisa desagradável manchando a visão.

Livros não se importam com aparências. Não têm olhos.

Quase tive um namorado uma vez, há muito tempo. Um garoto do meu bairro deixava cartas com obscenidades dentro da minha mochila e eu respondia com obscenidades maiores ainda, tiradas dos poemas escritos nas paredes dos sanitários, dos meus livros de capas escuras e das conversas cochichadas das meninas na sala de aula, ah, como eu adorava tudo aquilo, mas quando enfim combinamos de nos encontrar ele não estava só. Rostos conhecidos e estranhos, rostos que pareciam cobras rastejando no escuro. Caveiras fantasmas. Eles queriam me dar tudo que eu merecia, e eu não sabia que desejava tudo aquilo. Cheiro de grama, bosta, sangue e morte. Risadas são facas. Ouvi um grilo.

Os anos passaram e ainda hoje o vejo. Ele começou a frequentar a livraria de uns meses pra cá, todo pernas e sorrisos, A letra escarlate nas mãos. Às vezes nossos olhares se cruzavam. Sinto-o me observar por trás das prateleiras, os olhos de brasa movendo-se em câmera lenta: uma onça paciente prestes a dar o bote num filhote de macaco. A surpresa só chega instantes depois da morte.

Tento não pensar sobre isso e ocupar minha cabeça cuidando da minha avó, refém de banhos de esponja e comida na boca. Pensei em uma cuidadora, mas ela não se dá muito bem com outras pessoas. Somos muito parecidas. Como trabalho apenas meio expediente, passo a maior parte do tempo organizando a casa e lendo os livros que roubo da loja. Também leio muito para a minha avó, e viramos a noite terminando "só mais um" capítulo ou comentando um final emocionante. Ela pergunta com frequência se não me sinto solitária. Sim, o tempo todo, mas nunca digo isso a ela. É a única outra extraterrestre que conheço e não quero deixá-la preocupada. Deito no seu peito magro e a ouço contar histórias sobre o nosso planeta natal, onde a grama é confortável como um abraço e o ar tem cheiro de frescor.

No dia que minha avó morreu acordei grávida do meu filho.

Alessandra Jarreta *é estudante de letras e é mediadora do Leia Mulheres de Fortaleza e de outros clubes de leitura. Já trabalhou como promotora de cartão de crédito, vendedora de produtos de limpeza, professora em reforço escolar, consultora de sistemas, livreira e atualmente é digitadora de placas de trânsito. No futuro espera escrever mais contos do que placas.*

A FALTA
DA HISTÓRIA

SABRINA SANFELICE

A FALTA DA HISTÓRIA

O pacote de pão batia na lateral das pernas quando ela andava, fazendo soar um samba que combinava com a letra que cantarolava na volta para casa. Tinha escolhido esse caminho que trilhava há tantos anos que não acreditava ainda, que aquelas pedrinhas no chão pudessem ser também um pouco suas. O portãozinho que a fez escolher a morada era a porta de entrada para um sonho real. Todo entornado, pequenino, desses que só existe para enfeitar os olhos. Não era um portão de proteção, mas um convite para os queridos, os que chegam sem bater, que anunciam a chegada com palmas, tilintando os ouvidos com sons de bem-aventurança. O cheiro de café estendia-se até quase a esquina, mesmo inexistente. Afinal, o nariz estava acostumado com a potência da rotina. Ah, justo ela que nunca sonhou em entorpecer a vida com os mesmos sentidos! O jardim era uma beleza, dálias de todas as cores, as flores que senhoras de bem fazem questão de apresentar bem-cuidadas. E roseiras, aos montes, que a faziam lembrar de visitar os recém-nascidos levando-lhes um pouco das pétalas brancas, pequeninas e frágeis como eles, para passar-lhes nos olhos. Abrir a visão para o mundo, com pureza, sem assustá-los com a excitação de toda a vida. Adentrava a casa silenciosamente e abria o pacote de pão na mesa da cozinha. Cortava, colocava nos pratos de louça decorada, uma xícara de café, o primeiro estímulo do dia, e levava até ele, sentado na mesma cadeira que o tinha deixado ao sair. Os olhos, carinhosamente a seguiam quando entrava no quarto e puxava a mesinha para que pudessem compartilhar a refeição mais perto da janela, com os primeiros raios de sol. E antes de começarem a comer, ela ficava alguns minutos em sua frente, encostava a ponta do nariz no outro nariz a espera do seu e alisava-lhe o cabelo, colocando-os entre os dedos. E ficava ali alguns segundos, deixando que chegasse a ele o nó na garganta, a profundidade do afeto que tinham, a lembrança vaga de qualquer coisa que estivesse entre o agora e os vácuos da memória, então, ele a reconhecia e deixava que o alimentasse. E ela que antes contava-lhe o dia anterior, fazendo-o rir com a sonoridade das palavras que enfatizava, agora resolveu que cantar seria mais justo para quem entende melhor a melodia do que a letra. Arrumava o quarto, trocava-o, dava-lhe o braço para que juntos caminhassem até a varanda, tudo cantarolando baixinho. Às vezes, subitamente, ele parava de andar e a olhava. Esse olhar era o suficiente para dizer para que ela parasse ou continuasse a melodia. O silêncio muitas vezes habitava-os e, nesses momentos, ela o deixava sozinho para chorar, escondida, atrás da casa, apoiada no tronco da amoreira. Não sabia se chorava pela solidez do amor reconhecido ou se pela dureza de tê-lo vivido por tão pouco tempo. Lembra exatamente o dia em que o viu pela primeira vez. Enquanto desenha no chão de terra batida com um pedacinho de galho seco, procura nas gavetas da saudade os gestos, os sorrisos e toda a troca que os conduziu a viver os mesmos sonhos. E lembra também de todas as lutas internas que cravou para aceitar que esse era o amor do fim, a certeza, até porque nada tinha a ver com qualquer outro sentimento experimentado. Era algo tão bem-vindo, tão íntegro, que não impunha nada e, ao mesmo tempo, continha tudo. Olhou o desenho que fez. Um monte de passarinhos voando. Logo abaixo, uma outra forma, figura desconhecida, não tinha sido feita por suas mãos, mas parecia simplesmente completar a cena: uma cruz ao lado de uma árvore, cortada pela metade, como se tivesse ficado na beirada de um quadro, na margem da folha, criando uma perspectiva bonita entre o voo e a queda do desenho próprio e daquele trazido assim, espontaneamente, o destino, o traçado imutável da vida. Lá de dentro ouvia-o gritar com seus fantasmas, alguma coisa que atravessava sua memória de menino. Já não corria mais para acudi-lo. Sabia o quão impossível era qualquer atitude sua perante algo tão profundamente íntimo, uma história que não poderia ser nem ao menos imaginada e, se contada, inacessível até mesmo para ela que alimenta diariamente seu presente com notas cheirosas, pequenas histórias para viver o fim. Continuou sentada, um misto de ódio corria-lhe os olhos, cantava alto qualquer coisa só para desaparecer da mente o cheiro que sentia na base do pescoço quando se abraçavam. Levanta-se, passa pela cozinha ainda cantando, quase gritando desafinada, pedindo, implorando piedade para os santos do altar no alto do fogão de lenha, que lhe desapareçam as lembranças, que lhe deem a mesma tragédia, para que possam viver o resto dos dias olhando-se como estranhos, já que há nessa estranheza toda a pureza da igualdade, o nada. Prefere, tem certeza que prefere o vazio da solidão do que um pedaço de vida inteira, sua, completa e sua outra parte, ali, entregue, em sua frente, inerte. Ainda pode acreditar no espírito. Pode acreditar que aquele pedaço de carne estampada em sua frente não é ele. E viver como quem apenas cuida de um peixinho dourado num aquário. Mas não quer. A imagem dele é muito forte para ser ignorada. Quer morrer. Quer matá-lo. É uma desafortunada, vivendo a pior espécie de viuvez. Nem os passos dele são reconhecíveis. Quando chega na porta da cozinha, ele a olha sentada no chão, desolada, encolhida, os olhos em carne viva, a memória inteira latente. Encosta no batente, suspira firme e começa a gargalhar. Sua risada espalha-se pelo corpo enorme e ele corre pela casa toda, rindo, alto, uma visão assustadora. Por alguns segundos, milésimos, ela acredita. Tem certeza de que foi temporário o susto de tê-lo perdido para sempre no vácuo do que somos, seres humanos ocos. E levanta-se, olha os santos do altar e pede de novo, implora que seja verdade. Piedosamente reza de olhos fechados. Quando os abre, ele está em sua frente, quase toca-lhe o nariz com o dele. O som da risada, agora um pouco mais contida, lerda e sem fôlego, faz vento em seus cílios molhados de lágrimas, aquece-lhe as bochechas. Os lábios quase se tocam. Mas os olhos, os olhos dele não conseguem. Não entram, não aprofundam, não estão lá. Vagueiam para cima e para baixo como uma criança arteira, disfarçando o que irá fazer de supetão. Devagar, ainda acreditando, ela toca-lhe de leve as mãos. Ele deixa. Quer muito abraçá-lo, mas espera. O que a fará acreditar, afinal? Lembra de São Thomé e pede, encarecidamente em pensamento: São Thomé, São Thomé, redobre e reforce minha fé. Que eu possa ver a verdade e que a verdade seja a que é. Então, ele se afasta, dá um passo para traz, desviando o corpo do encontro entre os dois. Caminha até o fogão de lenha e sobe pela lateral. O fogo está aceso, ela se assusta, pensa que vai queimar-lhe as solas dos pés, mas hesita em gritar porque desacredita da cena que imagina em sua mente. Ele andará sobre as brasas! O cheiro de carne queimada espalha-se pela cozinha, tirando de cena as lembranças do café que exalava um perfume conhecido entre os dois. Ele está enorme, no alto do fogão e nem precisa ficar na ponta dos pés para pegar o que quer. Passa a mão entre os santos, derruba alguns que se despedaçam pelo chão. O primeiro a cair, Santo Antônio, está agora sem cabeça, o corpo rola até a ponta dos pés dela, que nem se aflige ao ver o santo preferido decapitado. Ele alcança São Thomé, uma imagem pequena comprada numa viagem feita até a cidade vizinha com o mesmo nome do santo. Segura-o com desleixo ao lado do corpo enquanto vira-se para ela e a olha nos olhos. Mal pode descrever o que vê, mas acredita. E na intensidade do olhar penetrante que lhe atravessa, sente o calor, o afeto, a doçura toda de volta, mal pode sentir qualquer dor, nada. A película lhe tinge os olhos, devagar desce a cortina de veludo vermelho sob suas retinas encantadas. Do ângulo que consegue enxergar agora, deitada no chão, os olhos de Santo Antônio, decapitado, refletem sua própria imagem, inerte, enquanto o sangue espalha-se pelo ladrilho da cozinha. Ele passa por ela correndo e certifica-se de que está morta. A cabeça com um rombo que caberia uma vida inteira. Ri alto novamente e corre, gargalhando pela casa, enquanto a sola dos seus pés queimados acalentam-se no fluido da vida que escorre pelo chão, tingindo a casa toda, uma vida inteira, em pegadas vermelho-rubro, cor do amor, contando a história que tanto ela queria acreditar ser verdade.

Sabrina Sanfelice *é de Analândia (terra de Ana), vizinha da Casa do Sol (de Hilda Hilst), mãe de dois e autora pela Patuá do livro de contos* Nós Vós Elas, *além de outras coletâneas poéticas com mulheres escritoras (Senhoras Obscenas).*

DO OUTRO LADO DA FRESTA

CILA SANTOS

Ela olha pela fresta do muro, ansiosamente. A caixa ainda estava lá, na porta da frente da casa. Checa novamente as horas, já era para ter aparecido alguém, ela não quer ficar muito mais tempo por ali. Seus olhos marejam de lágrimas, que seca, com impaciência. Tem andado tão emotiva. Não havia motivos para chorar, as coisas iam dar certo.

Continuava olhando apreensiva para a caixa. O bebê ainda não tinha acordado. Será que estava tudo bem? Certamente. Acordaria em breve com fome e choraria com vontade. Então alguém apareceria. Assim esperava. Ainda sentia seu corpo se recuperando do parto. O leite que ainda não tinha descido. Melhor assim. Não amamentaria mesmo aquela criança. Seus olhos marejaram novamente. Não ia chorar. A vida seguia.

Agora, precisava emagrecer. Desde antes, até. Só poderia mesmo estar muito gorda para que a barriga não tivesse sido notada no serviço. Ou talvez ninguém se importasse mesmo. O importante era manter as vidraças sempre limpas e o jantar pontualmente pronto. Ela mesmo demorou a notar que estava grávida. Só se deu conta porque não menstruava mais. E passava muito mal. Acreditou que poderiam perdoar os dias de sumiço. Eram dez anos de trabalho, praticamente desde os seus doze anos de idade. A primeira vez que faltava. Mal visitava a própria família. No início, era a mãe que ia ver como ela estava. Depois passou a ter folga uma vez por mês. Nunca nas festas. Nunca nos feriados. Nunca aos finais de semana. Nunca mais que um dia. Como ia avisar do seu sumiço? O que ia dizer? Que estava parindo? Se nem da gravidez se deram conta?

Teve sorte que o porteiro lhe emprestou algum dinheiro para chegar até a maternidade. Ela nunca tinha nenhum dinheiro com ela. Todo mês sua patroa depositava o seu salário diretamente para sua família, que vivia no interior do estado. E era melhor para que ela não tivesse que se preocupar com coisas de banco, lhe dizia. Teve sorte que tinha uma maternidade por perto. Nem sabia. Não havia mesmo motivos para as lágrimas que teimavam em queimar seus olhos. Ela nem sabia direito quanto ganhava. Sentia-se feliz por poder ajudar a mãe no sustento. Não ver os irmãos passarem fome. Seu pai tinha ido embora quando ela era pequena, deixando sua mãe e seus irmãos à deriva. Melhor ele ter ido mesmo. Melhor que apanhar todo dia. Ver a mãe ser espancada. No fim, a patroa foi muito boa para eles quando a levou de lá. Uma boca a menos para comer e ainda algum dinheiro para alimentar os que ficaram para trás.

Sim, ela tinha lá seus sonhos. É claro. Estudar. Quem sabe trabalhar com outra coisa. Quem sabe num escritório bonito. Ser secretária, ou alguma coisa assim. Queria mais era poder garantir uma velhice digna para a mãe. Mas estragou tudo. Como pôde ter sido tão estúpida e engravidar? Ela não queria essa gravidez. Lógico. Como querer? Ela nem sequer queria ter dormido com o filho da patroa. Mas foi burra. Como acreditou que eles pudessem ser amigos, conversar de igual para igual? É certo que tinham quase a mesma idade, praticamente cresceram juntos e em outros tempos até brincaram às escondidas. Ele era quase um irmão para ela. Que ela protegia e ajudava a esconder os malfeitos. Como ela poderia imaginar que nutriria algum interesse por ela? Logo ela? E ele, sempre com mulheres lindas, inteligentes, universitárias. Como ela foi permitir que aquilo acontecesse? Disse que não deveria. Que estava errado. Que a mãe dele ia demiti-la se descobrisse. Disse que nunca tinha feito aquilo. Que estava com medo. Que não queria. Disse que era para ele parar com aquilo porque ela não estava gostando. Mas ele ria dela. Não achou que estivesse falando sério. E quem daria ouvidos para uma mulher bêbada, também? A culpa foi sua, não deveria ter bebido.

E tudo por causa da comida. Era uma gorda mesmo. Só aceitou a bebida que ele ofereceu para poder provar a comida que ele tinha preparado. Risoto de Camarão. Salivava só de lembrar. Estava uma delícia. Nunca tinha comido nada tão bom. Eram anos comendo arroz, feijão, ovo, tomate, restos. E lasanha congelada. Pelo menos comeu camarão. Não devia era ter tomado o vinho. Ele deve ter pensado que aceitar dividir a mesa era convite para dividir a cama. Que idiota ela foi. E depois ainda teve que ouvir que o filho não podia ser dele. Que foi uma única vez, que ele não terminou dentro. Como assim? Ela nunca nem tinha feito aquilo antes com ninguém. Ele sabia disso. E como ela ia conseguir fazer filho com mais alguém se quase nunca saía daquela casa? Sua vida era da limpeza para a cozinha, da cozinha para o seu quarto minúsculo nos fundos. Nem janelas possuía.

E nem para tentar tirar ele ajudou. "Não posso fazer nada agora, toda a minha a grana é para o intercâmbio nos Estados Unidos", ele disse. E era isso. Esperar o que de homem? Pensou em dar um jeito sozinha, mas não tinha a menor ideia de como fazer. Com quem conversar? Se falasse com a patroa, seria mandada embora na hora. E como explicar aquela barriga? Ela iria ficar do lado dela contra o filho? Ela obrigaria o filho a abrir mão de estudar nos Estados Unidos para assumir aquela criança? Poderia falar com a mãe? Não. Ela ia morrer de desgosto. Mais uma filha perdida. Não achava também que a mãe fosse aprovar tirar a criança, agora que era da igreja. Embora a mãe soubesse como. Ela já tinha ouvido essas conversas. Que era para ela ter mais irmãos. Que a mãe já quase tinha morrido. Que graças a Deus o pai tinha ido embora e parado de fazer filhos nela.

Então o tempo foi passando. E ela não falou com ninguém. O filho da patroa se foi logo no começo e dessa vez ficaria um longo tempo fora. A patroa estava sempre muito ocupada, enfiada na universidade, dando aula ou escrevendo livros. Era uma professora famosa, aparecia na televisão dando entrevistas sobre a situação do país. Mal se falavam, desde sempre. Até que a vida era boa sem o filho da patroa por lá. Sempre sujando, bagunçando, trazendo amigos, fazendo farra, perseguindo-a na cozinha com brincadeiras que a faziam se sentir mal. Tinha menos tarefas, não precisava cozinhar tanto, só fazer a salada, única coisa que a patroa comia. E era também nessas épocas que ela comia lasanha congelada. Só lasanha.

Como a patroa quase nunca estava mesmo, ela ficava só a maior parte do tempo. Então, depois que terminava todo o serviço, conseguia descansar tranquila no sofá em plena sala. Colocava as pernas inchadas para cima e ficava assistindo televisão. Via programas que falavam de bebês, como eles nasciam, como cuidar deles. E aí até fazia um pouco de carinho na barriga, na TV dizia que era bom. E até chorava um pouquinho, não entendia muito o motivo. Achava que eram os tais hormônios. E gostava quando sentia o bebê mexer dentro dela, porque sabia que ele estava bem. Estava vivo. Já que não tinha ido ao médico nenhuma única vez. Na vida. Ela ficava ali sentada no sofá, às vezes cochilava. Sentia tanto cansaço! Fantasiava que poderia ficar com o bebê ali, sem ninguém perceber. Se não perceberam a gravidez, será que perceberiam uma criança? E quando o filho da patroa voltasse?

Ainda assim, sentia-se com sorte. Que outras opções teria? Nunca mais tinha ouvido falar da irmã do meio. Sabia que ela tinha saído de casa para trabalhar de vendedora. Mas sua mãe dizia que sabia bem que tipo de coisa a irmã andava "vendendo" por aí. A última vez que se viram, a irmã parecia cansada e triste. Embora ostentasse um sorriso duvidoso de quem sabia o que estava fazendo.

Sentiu-se aliviada porque as primeiras dores do parto começaram num final de semana em que a patroa tinha viajado. Ela aguentou mais um pouco até terminar todo o serviço. Aguentou mais, quietinha no seu quarto, deitada na cama, morrendo de medo. Até que um aguaceiro molhou o chão e ela percebeu que a bolsa tinha estourado. Era melhor sair dali. Desceu, com os documentos no bolso do uniforme, e ficou parada na portaria do prédio, pálida, sem saber o que fazer. Ela não tinha nenhum centavo e não sabia para onde ir.

Foi o porteiro que a ajudou. Que também estava lá desde sempre. Que a tinha visto crescer ali, carregando as bolsas de compras da patroa. Ele a amparou, ajudou a caminhar até a saída, parou um ônibus na rua e a ajudou a subir. Pediu ao motorista que a deixasse na maternidade, que era próxima, e ainda deu uns trocadinhos para ela. "Para ajudar a voltar, minha filha. Tenha uma boa hora." Quando ele a beijou na testa, antes de deixá-la ir, ela quase chorou de novo. Mas não era hora para essas coisas.

A ajudaram a descer do ônibus na porta da maternidade. Ela entrou e o mundo ficou para trás. Dor, dor, dor. A hora que não passa. Um dia se passou. Ela sozinha, vendo mulheres chegando, parindo seus filhos e indo para enfermaria. Dor, mais dor. "Será que demora muito ainda? Eu preciso voltar pro trabalho antes que a patroa volte." Deita, coloca soro. Dor, muita dor. Grito. "Na hora de fazer, doeu?" "Doeu! Na hora de fazer doeu! Não aguento mais!". Que bom que a ajudaram. Se o médico não subisse na sua barriga o bebê não tinha saído. "Força!" Mas não tinha mais forças. Estava ali há quase três dias, sem comer, sem beber, estava exausta. Estava com medo. Ela só pensava que a essa altura a patroa já tinha voltado e não tinha encontrado a caneca de café no escritório, logo pela manhã, e saberia que ela não estava lá. "Força!" Sentiu um corte na vagina. O médico com um bisturi na mão. "Agora vai". Força. Fórceps. Nasceu.

Era uma menina. Ela não sabia. "Ela é perfeita?", perguntou. Não conseguia vê-la muito bem, apenas uma coisa rosada sendo levada para lá e para cá. Não poderiam trazê--la? Queria tocá-la. Por que não a traziam? Para onde a levavam? Protocolo, disseram. Enquanto era suturada, remexida. "Foi um pique pequeno, vai ficar melhor que antes", disse o médico. Pique?

Enfermaria. Dormiu longas horas. Um cansaço mortal. Acordou faminta e a comida que lhe deram pareceu-lhe deliciosa. Não era lasanha. E então sua filha veio. A aconchegou nos braços e ficou olhando longamente. Pensando se ela era parecida com alguém. Pensando no que ia fazer agora. Pensando em tudo. Pensando em nada. A enfermeira veio, explicou como amamentar. Ela ali, com aquele bebê nos seios, sugando colostro. Sentia-se esvaziada. Mais que fisicamente. Era quase como se sua alma também tivesse se esvaído. Não sentia o tal "amor de mãe", não sentia nada. Acariciou a bochecha do bebê por um instante. Menina. Pobre coitada. Já nasceu condenada. A enfermeira volta. "Quando posso ir embora?", pergunta. "Amanhã, já terá alta", a enfermeira responde. E assim, no dia seguinte, ela se viu na porta da maternidade. Entrou cheia de dores e saiu com um bebê no colo enrolado numa manta e com roupinhas doadas pela maternidade. Na certidão de nascida viva do bebê que agora estava no bolso do seu uniforme, junto com seus documentos, estava escrito o nome "Marta". O mesmo nome da sua mãe.

Quando entrou na portaria do prédio, o mesmo porteiro estava lá. Ele a recebe com um sorriso triste e um olhar de compaixão. Parecia assim tão mal? Subiu temerosa. A patroa, como imaginou, não estava. O bebê começa a chorar. Ela amamenta. Corre, arruma tudo. Que bom que a casa não estava muito suja. Choro. Mama. Dorme. Ela está sangrando e ainda com dores. Lava, cozinha. Bebê chora mais. Troca. O pacote de fraldas que a maternidade doou não vai durar muito tempo. Salada pronta. Se esconde no quartinho. Está exausta. O bebê chora. Ela chora. Está em pânico. Não demora muito a patroa vai chegar. Deixa o bebê chorando em cima da cama e sai pela casa. Na cozinha se escuta o choro. Que bom que a patroa quase não vem ali. Na sala, se escuta muito pouco. No escritório, quase nada. No quarto da patroa, nem um som. Tem uma ideia. Retorna ao quartinho e coloca o bebê, que ainda chora, delicadamente dentro do seu armário, e fecha a porta. Sai do quartinho. Fecha a porta. Silêncio na cozinha. Respira aliviada. Volta correndo e tira o bebê de dentro do armário. Começa a embalá-lo para que pare de chorar. Para que durma. Para que a desculpe por colocá-lo dentro de um armário que cheira a naftalina e baratas.

No dia seguinte, ela vai levar a caneca de café para a patroa no escritório. "Onde você esteve?", a patroa pergunta sem nem levantar os olhos do jornal. O que responder? "Como você some assim?" Ela permanece muda, cabisbaixa. A patroa continua. "Como você pôde fazer isso comigo depois de tudo que eu fiz por você e pela sua família?" Meu Deus, a patroa estava certa, ela era uma ingrata. "É assim que você me agradece por eu cuidar de você e evitar que sua mãe morra de fome?" Ela permanecia de cabeça baixa, não ia chorar, não ia chorar. "Não quero mais você aqui. Fora. Eu preciso de empregados em quem possa confiar." Não, por favor, não. "Pegue suas coisas e vá embora agora."

Ela pensou em retrucar. Em implorar. Em explicar. Contar tudo. Dizer que o filho da patroa a tinha engravidado. Que ela não queria nada daquilo. Que por favor a deixasse ficar. Dizer à patroa que a neta dela estava naquele momento berrando dentro de um armário abafado, quente e mofado, no quartinho minúsculo da empregada. Pensou em dizer tudo isso, mas no fim não disse nada. Porque a neta da patroa era também a filha da empregada. E ninguém acreditaria no que ela tinha a dizer.

A patroa então lhe estendeu um envelope. "Aqui tem algum dinheiro. É muito mais do que lhe devo, e muito mais do que você merece. Não pense que eu sou idiota e não sei do que acontece na minha casa. Eu não tenho nada a ver com seus problemas." E então ela e a patroa finalmente se olharam nos olhos. Talvez pela primeira e última vez.

 Ela pegou o dinheiro, voltou para o quarto, tirou sua filha, agora já adormecida de tanto chorar de dentro do armário. Arrumou suas poucas coisas dentro de algumas sacolas plásticas e saiu da casa, onde tinha passado os últimos dez anos da sua vida, sem olhar para trás.

 Passando pela portaria, o porteiro vai ao seu encontro e a abraça. "Minha filha, tem alguma coisa que eu posso fazer por você?", ele pergunta. E então, com uma lucidez recém-conquistada, respondeu: "Zé, tu me arruma uma caixa?"

 ***

 Ela já estava impaciente, olhando por aquela fresta. Mas não podia ir embora sem ter certeza que do que aconteceria. Até que, para seu alívio, o bebê acordou e começou a chorar. Pronto, em breve alguém apareceria. Como esperado, uma porta se abriu, e uma voz veio de dentro perguntando curiosa "que barulho é esse?". Era a deixa. Já podia se afastar.

 Caminhou por horas a esmo, pensativa, até que decidiu que finalmente era o momento de voltar para casa e enfrentar a mãe. Contar que tinha perdido o emprego, que tinha estragado tudo. Mas não diria nada além disso. Sua mãe não precisava de mais desgostos nessa vida.

 Quando entrou no quintal de terra batida da sua casa, notou que agora havia algumas galinhas ciscando por ali. O cachorro, sempre magro. Aquela mangueira que ainda dava frutos. Sentiu uma pontada dolorida de saudade. Parou em frente a porta, suspirou, bateu com força. "Abre mãe, sou eu". Escuta passos arrastados, esbaforidos. A porta abre num supetão, revelando o luminoso sorriso desdentado da sua velha mãe. Que a recebe chorando, de alegria. "Minha filha, você aqui! Deus é muito bom! Olha como Deus é bom!" E então ela estava lá, no meio daquele abraço apertado da sua mãe, e foi vindo tudo, tudo o que já viveram, tudo o que ela viveu. Toda a vida que nunca foi e poderia ter sido. E se esforçava para segurar suas próprias lágrimas. E numa avalanche de palavras começou a pedir desculpas, e dizer como tinha feito tudo errado, e que agora não tinha mais emprego, e que não sabia como eles iam se sustentar porque ela sabia como ela precisava daquele dinheiro, porque os meninos mais novos ainda estavam na escola e quem sabe eles iam conseguir estudar, e se formar e tirar ela daquela vida. Mas que ela ia dar um jeito, que tudo ia ficar bem, que ela faria qualquer coisa.

E a mãe começou a rir e a abraçava com força, e ria e dizia "Minha filha, Deus é muito bom!" E ela só pensava que a igreja já estava afetando o julgamento da sua mãe. E sua mãe continuou dizendo: "Olha, a moça da assistência social veio aqui ontem avisar que deu tudo certo e agora eu tenho aquela coisa de aposentadoria! É duas vezes o que você ganhava, minha filha! E você ainda voltou pra casa! Olha como Deus é bom!" E então ela começa a rir junto com a mãe, aliviada e a pensar que sim, talvez a mãe estivesse certa e Deus fosse bom. E a mãe continuou falando "e eu quero que você venha aqui porque eu vou te mostrar o presente que Deus mandou pra abençoar nossa casa", e a mãe a foi puxando pela mão, através dos cômodos mal acabados, sempre em construção, até entrar no quarto que estava iluminado por uma fresta de sol.

E sobre a cama, lá estava ela, ainda na mesma caixa, adormecida, a sua filha. O seu bebê. E ela olhou para mãe e fez uma pergunta engasgada na garganta, "E agora, mãe, o que você vai fazer?" E a mãe a olha espantada e responde "Que pergunta, ué, nós vamos criar, né? Como é que recusa um anjinho do Senhor?"

E ela então foi até a caixa e pegou o bebê, e aconchegou nos seus braços. E se virou para mãe e disse: "Nós podemos chamar ela de 'Marta'?" Ao que a mãe assentiu e sorrindo e então veio tudo veio de uma vez e ela não pôde mais conter a torrente de lágrimas que a afogava. Começou a chorar, copiosamente, desconsoladamente. Chorava abraçada no seu bebê, enquanto sua mãe acariciava seus cabelos.

Cila Santos *é jornalista, mulher, mãe, escritora. Usa as palavras às vezes como afago, às vezes como marreta, às vezes como presságio.*

AS NOVAS INTERMITÊNCIAS DA MORTE

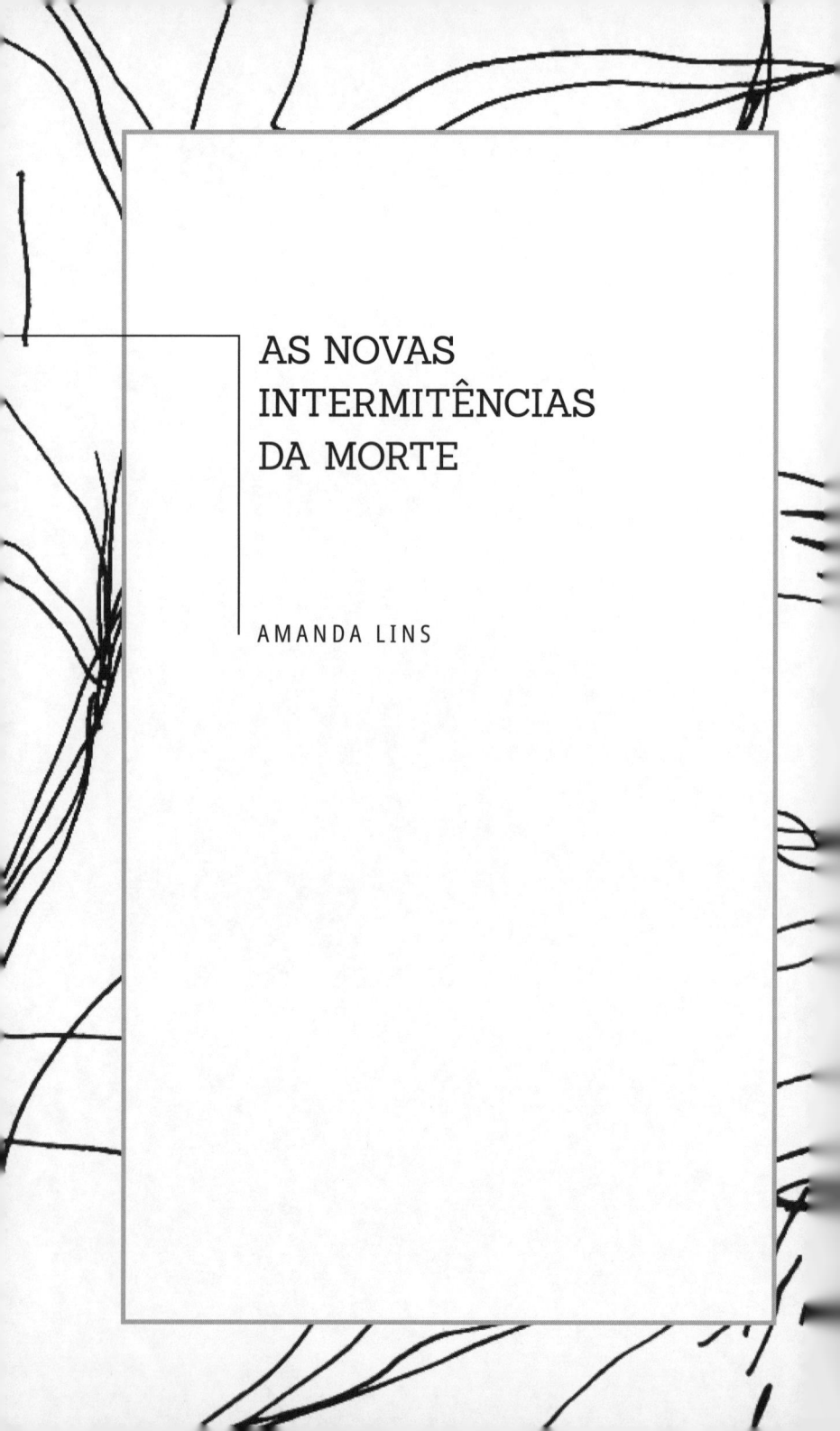

AMANDA LINS

vê só, que a morte não é cega, não, feito falam. ela vê e escuta tudo, o que é, é caladinha. chega, que tu nem percebe. pois quando notei, estava lá a moça, no pé da minha cama, querendo me levar. ah, não, minha senhora. e minha filha? além do mais, meu chefe prometeu uma promoção no mês que vem, e agora vou ter um salário maior, e prestígio na firma, finalmente, tanto que me dediquei a esse trabalho. mas a senhora, afinal, já deve saber disso, né, e me fala, é só deus que sabe de tudo ou vocês sentam num cineminha vendo a vida da gente passar, sabendo o que a gente pensa? deve ter, ora, mas tanta gente pra ver, não deve dar pra prestar atenção direitinho em mim, então não faz mal falar dessas coisas da minha vida. mas, ô, dona, tinha mesmo que ser essa minha hora?

  vai, senta aqui pra gente tomar um café, pelo menos. não carece essa pressa toda com minha alminha, nem vou fugir que da morte a gente não se esconde. e eu vou aproveitar que levantei pra lavar essa roupa que ficou aqui, viu, enquanto a gente conversa. assim não fico parada, deixa botar esse café no fogo. sabe que eu até queria descansar de vez em quando, mas desde que me entendo por gente, e que a vida é vida, foi assim. ou não? minha mãe que me dizia, filha, se a gente fica parada, o mundo derruba. eu não gostava não de ouvir, mas hoje vou fazer o quê? se parar pra reclamar, já caí.

  e valha-me-deus, que tá tudo sujo esse chão também, parece é que cresce feito árvore a poeira em casa, cadê a vassoura, a Lili escondeu, ô, menina. ô, dona, e se minha filha fica só no mundo? o pai manda pensão, somente. mas se bem que Lili já cresceu com cimento no corpo ao invés de sangue, sabe, saiu da minha veia, não podia ser de outro jeito. a carne dela é diamante, eu digo isso pra quem fala que a menina é dura. é dura, eu deixo ela ser, é meu jeito de ensinar pra ela também que se ela parar, ela cai. se ela amolecer, leva murro. eu sei, porque levei. e não queria assim, não gosto nem de me ouvir falando, também. mas que se faz? ela já nasceu aguentando perrengue comigo, a gente se segura quando tá tudo ficando difícil, às vezes parece que não vai dar pra passar, mas sempre dá.

quando a Li chegou na idade da escola, achei que ela fosse se segurar na barra da minha saia e abrir berreiro pra não ficar lá. pois, saiu correndo que nem me viu mais. já querem nascer sabendo das coisas, os filhos, mas pior é que sabem muita coisa mesmo. e crescem tão rápido, né, a senhora o que acha? eu não estou lhe entediando com essas histórias não, estou? eu sei que a morte deve saber de tudo, mas eu ando tão ocupada que nem penso em mim, sabe, nem lembro a última vez que parei pra conversar assim, na vida. eu acho que acumulo conversa, emoção. será por isso que viesse me buscar? mas então vamos conversar um pouco mais, tem muita gente pra buscar, além de mim, por hoje? eu nunca parei pra pensar no serviço da morte. não para nunca, nunquinha. toda hora morre alguém, tem nem hora pra dormir, essa jornada da senhora, ainda bem que não cansa nem fica doente. mainha diria que isso que é mulher de verdade. ô, mainha. mas uma pausa só em mil anos, um café, não vou lhe atrasar não, viu.

a senhora que deve olhar pra nós como seus filhos, também. filho é uma coisa complicada, não é, e no fim da vida ninguém quer lhe abraçar. eu não sou diferente, olha. gato tem sete vidas, mulher precisava mesmo era de mais, você sabe como é, trabalha mais que eu ainda. ainda mais que esse tanto de alma que a senhora busca deve choramingar um monte, já deve ser parte do serviço isso, hora extra pela lamentação humana, imagine só. e a morte é antiga que nem o tempo, tem mesmo paciência. dizem que antes, na época do velho testamento, tinha outra morte, uma mais cruel, não era complacente feito você, não. é verdade? dizem que quando a gente morre, descobre os mistérios da vida. pra mim a vida é bonita assim, cheia de mistério, mistério é coisa boa. queria era mais tempo pra aproveitar, me aventurar. e o que eu ia dizendo? sim, filho é coisa complicada. sabe que eu nem queria ter nenhum? hoje eu e Lili, ela é minha companhia, e eu amo mais que tudo, mas querer, ter sonho de ser mãe, nem tinha.

mas quando você ficar mais velha vai querer, diziam. espera casar, quando você casar vão precisar de alguém pra completar a casa. eu ouvi demais isso. de todo mundo, que todo mundo gosta de opinar na vida da gente, né, desde cedo. e eu terminei o colegial, namorei esse rapaz, um amor, romântico, gostava de mim. problema é que depois de um tempo, a gente passou da fase de namorinho pra dar a mão e passear na praça da igreja. e meu pai não quis dizer pra não ser chamado de careta, mas achou um escândalo que filha dele saísse à noite, dormisse em casa de namorado, que no tempo do namoro dele com mamãe não era assim. eu lembro de ouvir eles brigando, nítido, como se fosse ontem, você acredita? mamãe tentava me defender, mas, por fim, chegou de noite no meu quarto. ô, filha, é sério mesmo esse seu namoro? porque se for, eu e seu pai apoiamos. mas namoro como tem que ser. não é pra mulher direita andar com um e com outro, sabe.

dona, se você já viu essa história de lá do seu lugar, de onde você conhece todo mundo, me perdoe a repetição. mas vou te contar como aconteceu pra mim, do meu ângulo. dizem que umas coisas marcam mais nossa vida que outras. da visão de mamãe, ela salvou a filha dela de ficar mal falada, uma reputação horrível pela cidade, capaz de depois de um tempo não conseguir mais namorado, ninguém ia querer casar comigo, rodada, do mundo. melhor casar com esse rapaz, um menino bom, de boa família. assim fico séria. mas, pra mim, essa foi a primeira vez que eu vi nítido e claro na minha frente que não podia cuidar de mim assim, sozinha. a gente não cuida da gente, não é mesmo? porque não deixam. porque tem mamãe, e papai, e a família do namorado, e a vizinha da frente vendo esse rebuliço vai pensar o quê? foi assim, pronto. O Senhor e a Senhora convidam vocês para o enlace matrimonial de sua filha. agora sim. agora eu era uma mulher direita.

ser uma mulher direita ficou na minha cabeça uma pá de tempo, depois disso. perdi o gosto pelo rapaz, sabe? e dizem que hoje não acontece mais de casar alguém forçada. mudou-se o jeito de falar só. mulher direita. mamãe ia me visitar depois da missa, dizia que eu tinha perdido o brilho dos olhos, filha, o que aconteceu? nada, eu sou uma mulher direita. ela me disse que eu tinha sorte, que hoje as mulheres hoje têm liberdade e podem casar e também trabalhar e também ter seus filhos. e que meu marido era bom, sempre me ajudava nas tarefas, às vezes me dava uma joia, um buquê, não seja ingrata. e os filhos, quando vão ter?

quase que me perco nessa história, dona, eu falava que antes não pensava em ter filhos, meu primeiro namorado, mamãe no meu quarto à noite, o casamento. e foi assim mesmo, mamãe nas visitas agora só falava nisso. eu não cheguei a contar pra ela que ele, à noite, apagava as luzes e se empurrava em mim. dizia aos amigos que estávamos tentando ter um filho. não pega bem pra homem, né, não fazer jus à função de macho-alfa, reprodutor. às vezes dizia que ia chegar tarde do trabalho, eu já meio adormecida ouvia os passos dele na porta, trôpego e com cheiro de cerveja. deitava ao meu lado e se empurrava em mim. mas nunca contei à mamãe. meu primeiro namorado, mamãe no meu quarto à noite, o casamento, mamãe nas visitas depois da missa, meu marido se empurrando em mim. meu marido me culpando, você trabalha demais, e está sempre cansada, e não quer mesmo meu filho. o teste de gravidez, ele chorando, arrependido, eu amo você demais.

    parabéns, vocês vão ter uma menina, qual vai ser o nome? sabe, ele não escondeu de mim sua decepção de não ter um menino pra continuar sua linhagem. mas eu estava sensível, e chorava fácil, e ele comprava flores pra se desculpar quando gritava comigo. um dia, ele levou flores para meu trabalho. ele me levou num cantinho, me perguntou quando eu ia sair, pra cuidar da nossa filha.

    de novo, ser uma mulher direita, tudo outra vez. cuidar dos filhos, fazer o almoço. você tem sorte, filha, sua geração tem a liberdade que não tive. um homem bom desses, vai lhe sustentar enquanto você se dedica à família. ora essa. dessa vez bati o pé. não o meu trabalho, já não bastasse ter parado de estudar depois que casei. não o meu trabalho, eu sou mãe, não quero deixar de ser pessoa por isso, nunca deixei.

    que escândalo foi, você nem sabe. ou sabe, se você vê tudo. mas foi um escândalo. mamãe passou meses com vergonha de sair, vergonha de mim. mamãe, ninguém lhe aponta o dedo mais, já acharam outras coisas pra fofocar. todos já esqueceram a semana em que o marido daquela moça gritou com ela todas as noites, a pobre moça grávida, e depois disso a moça na porta, agora vai ter que cuidar da filha sozinha, agora vai ter mesmo que trabalhar. pronto. mas trabalhei mesmo, não vou dizer que não passei perrengue nenhum, sabe, foi difícil. e a Lili segura barra comigo, eu já falei isso, não é?

    eu te falei do nome da Li? eu pus Lilith, decidi no hospital, lavada de suor do trabalho de parto ainda. quis homenagear a primeira esposa de Adão, a expulsa do paraíso. falam que ela foi a cobra que sussurrou no ouvido de Eva, mas sempre dão jeito da culpa ser da mulher, afinal. culpa de Eva, minha culpa, culpa da Li. ela tem meu sangue suado, nem precisou de mim pra entrar na escola. eu fui expulsa do paraíso também, um escândalo, perdeu o marido. mas não perdi meu trabalho, mesmo que só falassem disso por um tempo, escutei muito cochicho enquanto eu passava no corredor. eu estou lá até hoje, eu contei que meu chefe falou que finalmente ganho uma promoção, né. ele mencionou disso na reunião geral e levei mais uma pá de cochicho pra casa, olha ali ela, mãe solteira, não sei nem como trabalha e cuida da filha, deve largar a menina por aí. certeza que deu pro chefe, pra ganhar promoção assim.

    ah, eles não sabem. não sabem o tanto que lutei, o tanto que superei, desde que fui aquela menina que aceitou casar por pressão da família, que à noite ouvia o marido trôpego passar na porta, que se encolhia com medo, fingindo dormir. e eu não deixo mais, não. só eu sei que minha promoção no trabalho vem acompanhada de piadinhas, três vezes mais atribuições, um aumento [não tão substancial quanto o dos meus colegas] e o direito de não reclamar. só eu sei o quão difícil foi aprender a amar e cuidar, sozinha, de alguém que já estava crescendo dentro de mim, antes que eu pudesse decidir o que queria. só eu sei. eu e você, só eu e a morte.

    a senhora sabe, que a senhora sabe tudo, eu não aceito mais nada disso não. a senhora deve mesmo saber também de quando ele foi embora, e que enquanto minha mãe se escondia em casa de vergonha, eu me escondia procurando os rastros dele. eu, grávida, lembrando dele quando foi meu namorado, romântico, quando dizia que me iria me amar pra sempre. mas isso eu superei também, uma hora parei de verter lágrimas e decidi que minha filha, a Lili, a que eu nem queria ter, valia muito mais que isso. por ela, por mim, eu larguei de pensar em mim como coitada, dona morte, e levantei nesse dia, plena e dourada pra trabalhar. por nós eu aguento os cochichos, vou aguentar além. ô, dona, e nem vou mesmo, me esqueci, a senhora quer me levar.

    [...]

    nem vi, nem soube de mais nada, já tinha sumido, ela. o Saramago precisou fazer outro livro, da segunda greve da

dona morte. disseram que ela deixou uma carta. nem sei, afinal, que é que sei. a vida é bonita assim, misteriosa.
[...]
Saramago,
vou fazer greve de novo. existiu mesmo, né, uma morte que não foi tão complacente. um morte. o senhor morte não perdoava. mas não ache que não sei.

no tempo do morte, só se morria à noite, que era pra de dia ter um descanso pra ele. fim de semana quem quer que tivesse infartado no hospital, aguardava o próximo dia útil pra ter a alma levada. mas morte mulher não tem descanso, e ainda escuta que a culpa é dela. não é minha a culpa, não, só cumpro ordem. alguém precisa fechar os ciclos desse tanto de alma que corre, e eu até que gosto do meu serviço, mas é injusto esse mundo, ninguém me valoriza. hora extra por lamentação bem que poderia, mas não ganho, não. deixei tempo pra essa moça que conversou comigo, por agora, tem muito pra ensinar pra filha, pro mundo. mulher nasce e é treinada pra ter força a mais. sexo frágil, ora essa.

quem quiser que leve ela agora. por enquanto, vou descansar. hoje, quem for mulher, que pare um pouco, sem medo de cair. tudo bem no mundo. depois volto.

Amanda Lins *nasceu em Petrolina (PE), em 1998. Cursa Direito na UNEB. Também publicou na revista alagunas #13, periódico eletrônico de literatura.*

Este livro foi impresso em março de 2019 na Rettec Gráfica, em papel Pólen Soft 80g., com capa em Supremo 250g., e foi composto na fonte Sanchez.